避難民地区でJVCが建設した小学校にて集まる児童たち

算数の授業では、教室の外に出て、
石を使って足し算や引き算を学ぶ

補習校支援の説明会に集まった住民たち

教会の前でたたずむ子どもたち

政府軍支配地域と反政府組織支配地域の境界から
程近い地域を訪問。住民の多くは兵士である

朝はザラビア（ドーナツ）から始まる

クリスマスを祝うため教会近くに集まる子どもたち。南コルドファン州はクリスチャンが比較的多い地域だが、ムスリムもクリスチャンも一緒に祝う

JVC が設置したハンドポンプ式井戸で水汲みをする住民たち

スーダンの未来を想う

革命と政変と軍事衝突の目撃者たち

関広尚世
石村　智
編著

明石書店

◆巻頭カラー写真解説

堀潤が国際ボランティアセンター（JVC）の活動地である南コルドファン州カドグリとその周辺を取材した際の写真。2023年にはこれらの写真をもとに東京、京都、大阪、宮崎、宮城で写真展も開催した。取材の詳細は第4章を参照。

はじめに

2023年4月15日にハルツームで起きた軍事衝突により、スーダン国内で活動していた日本人は突然帰国せざるを得なくなった。活動内容こそ人によって異なるが、スーダンの人びととその未来を想い、そこに心血を注いでいた人びとにとってそれは耐え難い現実である。また、衝突時の報道によってスーダンが内戦国だという側面ばかりがクローズアップされ、いま、報道が減少する中でスーダンの存在が再び人びとの記憶の中で薄まりつつある。

スーダン人が育んできた歴史文化や、それに基づく国民性、市民の活動や希望があたかも最初から存在しなかったかのように映る現状は、現地で活動してきた日本人にとっても更なる心痛の種となり、焦燥感が日増しに募っていくばかりである。

本書の執筆者は、スーダンが未来への展望を最も強くかつ明確に描いたスーダン革命時と、それ以降に現地に駐在または関係した邦人で構成されている。また、あえて特定分野に限定せず、執筆に積極的な方々に寄稿をお願いした。

第Ⅰ部では関広尚世がスーダンの過去を表象する文化財を取り扱う現代的意義について論じ、石村智が民族という観点からスーダンの文化的多様性に着目し、スーダンの歴史文化を取り扱う意義を示す。

第Ⅱ部では坂根宏治がＪＩＣＡ事業を通してみた民主化プロセスにおけるスーダン行政官の取り組みと今後の展望を述べ、堀潤が現地取材を通して聞いた市民の声を基に民主主義とは何かに焦点をあて、スーダンの現在（いま）を論じる。

第Ⅲ部では、今中航はスーダン革命から現在にいたるまでの駐在経験で目の当たりにした市民活動と壁に描かれたアートとの関係に注目し、金森謙輔はこのアート活動に参加した女性や、実は抗議参加者の大半を占めていた女性の社会的・文化的役割を論じ、日本では紹介されることのほとんどない、現在進行形のスーダン文化を明らかにする。石村智は4月に起きた武力紛争下における文化遺産のうち、とくに無形遺産の保護や復興が平和構築を行う上でいかに重要であるかを論じ、スーダンの未来を拓くための道筋を探求する。

本書は熟練した研究者のための専門書を目指していない。その代わり、革命以降に様々な専門領域で関わった日本人専門家のスーダンへの想いや、専門家自身がスーダンから受けた影響の本質が専門にかかわらずほとんど変わらないということを読み取ってもらえたら、本書の企画としては成功である。

そしてもし、読者が執筆者らと似たような経験をしたなら、ためらうことなくスーダンの良さと未来を周囲に語って欲しい。一見、遠回りで弱いようにも見えるこの方法は、実は最も確実で安定したスーダン復興の手法の1つであり、専門領域を超えた相乗効果を生むと執筆者は考えている。

それでは、革命と政変と紛争という激動の中で、私たちがどんな風にスーダンに関わり、影響を受け、今もスーダンのことを想い続けているかを語りはじめよう。

目次

はじめに　3

第Ⅰ部　歴史と文化の意味

第1章　スーダンの現在と未来につながる「過去」　関広尚世　11

第2章　民族の多様性　石村　智　35

第Ⅱ部　市民革命とその後

第3章　スーダンのアイデンティティ、民主化と開発プロセス　坂根宏治　63

第4章　民主主義とスーダン市民　堀　潤　85

第Ⅲ部　今を生きる・未来を創る

第5章　壁に描かれたアートから紐解く、スーダン市民のメッセージ　今中　航　117
第6章　「12月革命」と「ヌビアの女王」たち　金森謙輔　139
第7章　ポストコンフリクト国における文化遺産の復興と平和構築　石村　智　161

おわりに　189

第I部

歴史と文化の意味

第1章　スーダンの現在と未来につながる「過去」

関広尚世

1　スーダンとの出会い

スーダンに「出会った」のは2007年で、もう十数年がたつ。当時のことを以前にもふれたことはあるが（関広 2015）、本書では少し違った角度からその出会いについて書くことにする。筆者の専門は考古学と文化財学。ただし、テレビやソーシャルネットワークに登場する考古学者像からは全くかけ離れた人物だと思ってもらいたい。

大学院ではエジプト南部が研究対象で、修了後も同じ地域を対象にするつもりでいた。エジプト以南は研究対象として長く続けられるテーマが存在するような地域ではないと認識していたからである。この認識は資料見学のための渡航で脆《もろ》くも崩れ去った（写真1）。なぜなら、エジプト以南の歴史文化に触れる機会が格段に増え、スーダン人研究者との直接交流が始まり、さらに現代社会における考古学の意義を見出すことにもなったからである。

「考古学は社会のために役立つか?」という問いは学生時代から時折耳にすることがあった。ただ、遠い記憶では真剣な議論をしてきたとは言えず、明確な答えが出たことはなかったように思う。就職後はさらにこの話題から遠ざかっていたが、スーダンへの最初の訪問で、この問いを強く肯定する答えが突然返ってきた。その返答については後ほど触れるとして、筆者とスーダン文化財との馴れ初めと関わりはざっとこんなところである。

2　「過去」がなぜ大切か

本書で述べる「文化財担当者」とは、スーダン文化財の調査・研究・保護管理を行う機関である国立古物博物館機構（National Corporation of Antiquities and Museums　以下、NCAM）の職員と考えてもらいたい。筆者は分かりやすいのでスーダン考古局と呼ぶこともある。最初の訪問でこの文化財担当者と交流することができ、ダム建設に伴い水没の危機にある遺跡群があること、毎年雨季に起きる水害や文化財専門家の不足、予算不足や文化財行政への無理解など、日本国内でも

写真１　国立博物館カフェテラスにて

同業者なら一度は口にしそうな不満も耳にした。スーダンがアフリカ最大の国土だった２００７年当時、全土で様々な問題を抱えていること、文化財を取り巻く環境が、隣国エジプトとはほとんど正反対であることもすぐに認識できた。

帰国後はスーダン人専門家たちの助けになってくれそうな組織、研究者などほうぼうに連絡をした。しかし、アフリカの緊急発掘を計画できるような環境は見つけられず、邦人同業者から「それは保存意義があるのか」といった耳を疑うような言葉を投げかけられたこともあった。また、スーダンは人道支援や緊急支援段階で、文化支援をやっているような段階ではないという反応も多かった。もちろん、人道支援や緊急支援が重要であることに異論はない。ただ、それらが終わらないと文化支援や文化財の保護ができないという考え方にはこのときからずっと賛成できずにいる。

その理由の１つにダルフール出身の文化財担当者たちとの交流がある。ダルフールは、スーダン西部に位置し、いわゆるダルフール紛争が起きた場所である。以前、ダルフール紛争は非アラブ系であるダルフール人が南北紛争の和平交渉が進むにしたがって、アラブが中心となるスーダンに次はダルフールが取り残されるという危機感にかられ、

２００１年頃に反政府組織を結成したことに端を発する。これに対し政府側が民兵を使って鎮圧を試みたと記した（関広　２０１５）。その民兵こそが、後述されるＲＳＦである。

現在のようにソーシャルネットワークもなく、書籍上ではジェノサイドに関する記述しか見当たらないような状況下で、筆者もダルフール出身の専門家に会うことすら想定していなかった。そのうちの１人は、「自分の故郷はただ危ない場所だと思われている。自分はこれからヨーロッパで考古学の博士号をとり、故郷の歴史を教えることができるようになりたい。それがスーダンの将来にも役に立つと思う」と語ってくれた。日本ではテレビや映画の影響で、娯楽色が強い学問分野という印象が考古学にある中で、「考古学は社会のために役立つか？」という問いへの強い肯定的な答えをこの会話の中で見つけることになった。つまり、過去である歴史を理解していないことが、未来像を描くにあたって最も問題なのである。そのために考古学や関連分野である文化財学は役に立つのである。

スーダンは２０１７年まで国際テロ支援や人権侵害を理由に経済制裁を受け、２０１９年まで独裁政権に基づく情報統制下にあり、２０２０年までテロ支援国家指定を受けていたことも忘れてはならない。スーダンは国際社会の中で存在そのものを消され、歴史という「過去」もほとんど消されていたに等しい。これが、スーダン史がエジプト史の一部として語られてきた理由の１つとなるのだが、その問題については後述する。

断っておくが、スーダン人文化財担当者や研究者らは、決してこの状況を傍観していたわけではない。それを最もよく表すのが、２０１９年のスーダン革命下で行われた文化財担当者や学芸員らによるデモ行進である。ある者は拳を振り上げ、ある者はボードを持ち、ある者は横断幕を掲げた。筆者も、現地から送られてくる画像とメッセージに胸を熱くし、できることなら参加して文化財の重要性や専門家の地位向上を一緒に訴えたいと思ったことは記憶に新しい。デモのスローガンは「過去をなくしては、現在も未来もない」であった。参加者によると、目的は遺跡の重要性の認知向上、考古学者、文化財研究者、博物館関係者全体の地位向上を訴えるもので、対象は当時のバシール政権だけでなく一般市民を含む社会全体であった。革命時に行われた抗議行動としては明らかに異色だが、文化財担当者や研究者らの苦悩が最も反映された内容だったと言える。

スーダン人文化財担当者は激動の時代のなかで、「過去がなぜ大切か」、それをどう護るのかを身をもって私たちに教えてくれている。彼らが期待する未来とは民主化が実現した社会だが、多民族国家であるスーダンでそれを実現させるためには、異民族間の相互理解の深化や物事を俯瞰的に見る力が不可欠である。その力を養うために過去という歴史を知り、文化を学ぶのである。これを蔑《ないがし》ろにすること、その学びの素材でもある文化財を粗末に扱うことは、本来ならたどり着くべき未来をみずから壊しているに等しいのである。

3 「過去」としてのスーダン史

筆者がユネスコ・ハルツーム事務所を訪問した際、２０１７年発行の冊子『スーダンの文化遺産——世界遺産である遺跡群と暫定リスト掲載が望ましい遺跡から』('Sudanese Cultural Heritage Site. Including sites recognized as the World Heritage and those selected for being promoted for the nomination')を関係者からいただいた。

この冊子は、ＮＣＡＭのアブデルラーマン・アリ・モハメド元局長が中心となり、大英博物館のジュリー・アンダーソンらとともにスーダン史、世界文化遺産登録遺跡、将来的に登録が望ましい遺跡や建造物を紹介している。スーダン史について近代以前を先史時代、先ケルマ期、クシュ王国Ⅰ期、エジプトによるヌビア統治期、クシュ王国Ⅱ期、ポストメロエ期、中世、センナールのフンジ王国に区分し、各時代の特徴を述べている。なお、本書では便宜上中世をキリスト教期、センナールのフンジ王国をイスラーム教期と記した。歴史好きの読者はこの時点ですぐに気付くかもしれないが、この冊子の最大の特徴は、スーダン史がエジプト史の一部としてではなく、独立した歴史として記されている点にある。この特徴は、アイデンティティの確立とそれによる新たな未来像、さらには国際社会への復帰を促進する可能性を秘め、同時に「過去」の記述に潜む問題点も明らかにすると筆者は考えている。本書では紙面の都合で一部を要約するが、ユネスコホームページにＰＤＦがあるので、そちらも参考にして欲しい。図１には関連都市と遺跡の位置を示した。

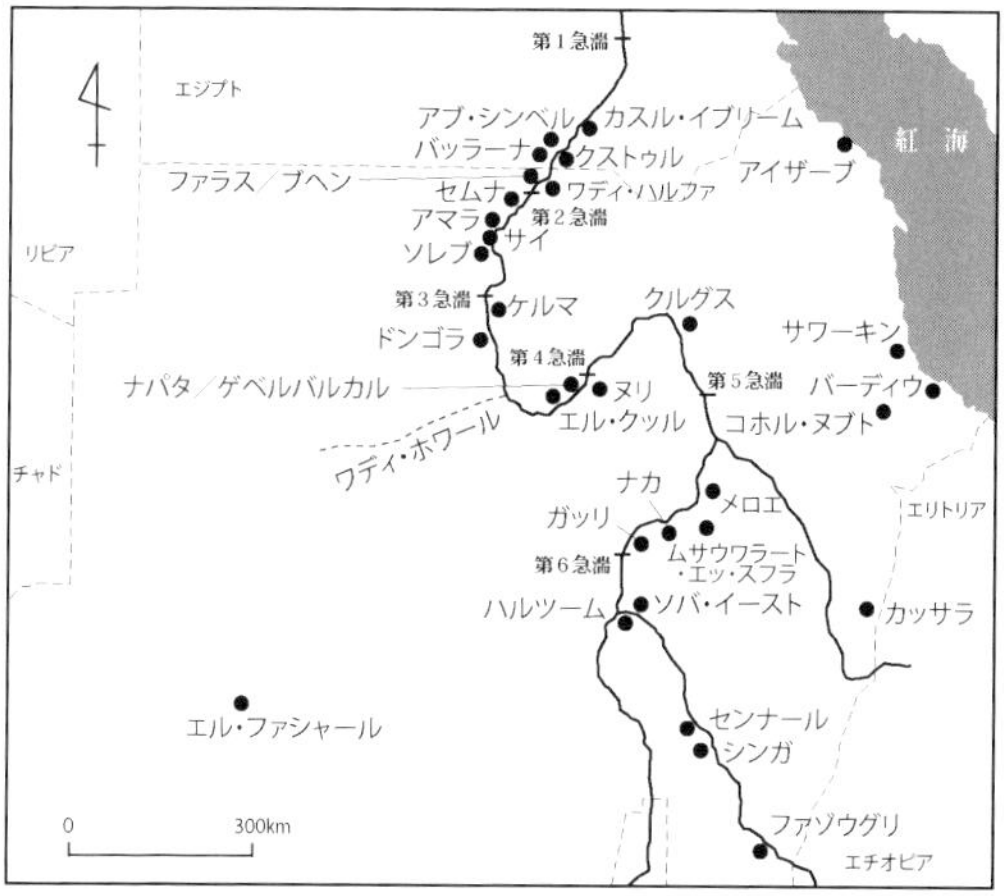

図１　遺跡位置図

先史時代（紀元前１６０万年～３５００年前）

先史時代の居住跡は、スーダン北部に位置するドンゴラの北約60キロメートル地点にあるケルマ近郊のカッダナルティにあり、約１６０万年前から50万年前の石器と動物遺存体が出土した。この遺跡のさらに北にあるナイル川第２、第３急湍のサイ島からも20～30万年前と推定される居住跡が発見され、早い時期からナイル川流域に人が住んでいたことを示す根拠となった。また、この遺跡からは植物をすり潰した痕跡や赤色土や黄色土から顔料生産を行っていた痕跡が見つかり、世界的にも早い時期から芸術活動が行われていたことも明らかになった。

1924年に南部の青ナイル流域で発見されたシンガ人骨（Singa skull）は、スーダンにおける中期旧石器時代の人骨の最古例である。この人骨はホモサピエンスに属し、12～15万年前のもので、スーダンが人類の進化においても重要な役割を担った場所であることがわかる。近年の調査で、ダナキル低地北の紅海沿岸西部では前期旧石器時代の大型打製石器に用いられたアシュール技法を持つ人びとが、紅海山脈に近い平地に住んでいたことも明らかになった。

中期旧石器時代の人びとは半定住をしながら狩猟や採集を行い、細石器や銛《もり》といった角骨器や土器製作も行った。この土器は世界でも類を見ないほど古く、焼成は良好で美しい刻文が施されるのが特徴である。新石器時代（紀元前4900～3000年前）に入ると牛、羊、ヤギを家畜化し、野生穀物の栽培に取り組み始めた。

先ケルマ期（紀元前3500～2500年）

巨大要塞化した都市の形態で、最初の都市文明がケルマに出現したのは紀元前3000年頃と考えられており、他のサブサハラ・アフリカよりも早く巨大都市が出現したことになる。要塞内には、土と丸太による防御施設、円形住居、方形建物、飼育小屋、貯蔵施設があったことが明らかになった。

クシュ王国Ⅰ期（紀元前２５００〜１５００年）

ケルマに誕生した都市は（写真2）、やがてスーダン史上最強の国となった。１０００年以上栄えたクシュ王国の誕生であり、クシュ王は瞬く間にナイル川中流域を支配下に置いた。

この王国の文化は、今でもスーダン人の精神的・文化的・国家的な側面に影響を及ぼしている。当初、小さな町でしかなかったケルマは、少しずつ要塞化していく中で防御施設だけでなく、住居、行政施設、手工業施設も備えていった。中心には象徴的な神殿のある宗教的区画があった。

写真２　ケルマの泥レンガ造り建物、ディフーファ

ケルマは、ケルマ文化の標式遺跡（タイプサイト）であり、ケルマ前期（Kerma Ancien：紀元前２５００〜２０５０年）、ケルマ中期（Kerma Moyen：紀元前２０５０〜１７５０年）、ケルマ後期（Kerma Classique：紀元前１７５０〜１４５０年）に区分されている。また、この文化を象徴するのがナイル川流域で最も良質とされた精製手づくね土器である。内面は黒色で器表に磨きが施されることで光沢を帯び、黒色口縁赤色土器と呼ばれる。

王国最盛期には、ナイル川第1急湍あたりから第5急湍までが領土となった。また、エジプトや地中海世界とアフリカ中央部とをつなぐルートの中間に王国が位置していたことから、古代エジプト人にとっての貿易相手国となった。ケルマ南部には港もあり、交易網も広く、南東方面は古代エジプトでプントと呼ばれていたエリトリア国境付近のカッサラまで及んだ。ケルマが中継する交易品は象牙、革、香木、金、奴隷であり、王国に莫大な富をもたらしたことが墓跡から明らかになった。

先ケルマ期の居住域にある主要墓地は広さが約90ヘクタールにも及び、被葬者は3万人とも4万人ともされている。そこでは発掘調査が行われ、ケルマ中期の王墓も発見された。王は、直径11・7メートル、深さ2メートルの土坑に埋葬され、その上には直径25メートルの墳丘が築かれた。4000頭分の牛の頭蓋骨が、この墓の南側で三日月状に並べられていた。ケルマ後期の王墓はさらに印象的で、直径90メートルの土坑内に王の親族、家臣、捕虜と考えられる400人もの殉死者を伴っていた。

エジプト人は、クシュの軍隊が勇敢であることに敬意を抱いたり脅威に感じたりしていた。エジプト軍の中にクシュ出身の射手集団が描かれていることや、エジプト第12王朝（紀元前1985〜1795年）にエジプト南端防衛のために巨大要塞を築いたことから、そのことが窺《うかが》える。これらの要塞は、「弓をかわす場所」や「王の代理人を追い払う場所」と呼ばれた。エジプトの影響力が、紀元前1750~1650年の間に弱まると、北はヒクソスがパレスチナから侵入してエジプトデルタを支配し、クシュはエジプト側の抵抗を受けずに第1急湍まで勢力を拡大できたのである。

エジプトによるヌビア統治期（紀元前1500~900年：エジプト新王国期）

エジプト史で新王国期と呼ばれ、スーダンがエジプト史の一部として頻出する時期である。エジプトが第18王朝に再び活気を取り戻すと、勢力を大きく広げていたクシュを侵略しはじめた。エジプト王のカモセに始まり、彼の後継者であるアハモセは、エジプトのナイルデルタからヒクソスを追い出すと南へと矛先をかえ、何とかエジプトとクシュを連携させ権力を得ようとした。

紀元前1500年までには、エジプトのファラオ、トトメス1世が大規模な戦闘でクシュ王をナイル川第3急湍にまで追い詰め、さらに上流の第5急湍に近いクルグス上流に境界碑を建てた。ケルマでは広範囲に破壊された町の痕跡が発見されており、この時の攻防戦の激しさを物語っている。

エジプト人神官や将校はスーダンに定住し多数の神殿を建てた。その代表例として、アメンホテプ3世（紀元前1378~1348年）が建立したソレブ神殿がある。この神殿は王妃に捧げられたもので、セド祭（エジプト王による再生と復活の儀式）と関係していた。このエジプト文化とア

写真３　バルカル山遠景

フリカのサブサハラ文化との接触は、文化概念や価値に重要な変化をもたらした。エジプトによる支配は紀元前11世紀初頭まで続き、その痕跡は、エジプト国家神アメンの南の家とされたゲベル・バルカル（バルカル山：写真３）まで広がる一連の巨大要塞都市に残っている。

エジプトによる支配の跡は都市の中心で顕著に見られるが、そこに住んでいた人びとに対してどれほどの支配力があったのかは定かでない。それは、エジプトがナイル川第１急湍以南の支配を放棄した時に在地文化が再開花し、そのことが葬送儀礼・土器生産・建築にも表れているからである。

クシュ王国Ⅱ期（紀元前９世紀〜紀元４世紀）

エジプト撤退後の数世紀間のスーダンは、どんな状況にあったのか詳しくはわかっていない。しかし、権力の空洞化により、紀元前９世紀頃の第４急湍下流域で再びクシュ王国が復権したことが明らかになっている。強固な要塞があった第１急湍近くのカスル・イブリームにもその兆候が見られたが、新国家が形成されたのはゲベル・バルカルから下流へ約12キロメートルの地点に位置するエル・クッルであった。この第2のクシュ王国は、現在の首都ハルツームにあるナイル合流点から地中海までを領土に収めていったのである。

新しい支配者たちは、在地の葬送儀礼に基づきエル・クッルに埋葬されていたが、急速にエジプトの宗教や風習を取り入れ、エジプトの神、特にゲベル・バルカルに住むとされたアメン神を崇拝するようになった。そして、ゲベル・バルカルのふもとに巨大な宗教施設を造営していった。

エル・クッルの墳墓群は、１９１９年にジョージ・ライスナーが発掘をした。この調査で彼は墓の下部構造と上部構造、そして葬送儀礼の変化を明らかにした。それは、土坑に遺体の手足を折り曲げた状態で埋葬する屈葬という在地の埋葬形態から、ピラミッド形の上部構造に岩窟を削り出して美しい装飾を施し、ミイラ化した遺体を埋葬する形態への変化である。この変化は、国家の急速な拡大と相関関係にあり、王国の支配者が地域首長から巨大帝国の王となったことを意味する。ただし残念なことに、この変化の詳細はまだ詳しくわかってはいない。

紀元前8世紀にクシュのカシュタ王がエジプト南部を支配下に置いたとき、エジプトもクシュも国家神はアメン神であった。その後継者であるピアンキ（ピイ）王はエジプト全土を治め、ナイル川流域における帝国領土を最大にした。その領域を超えることができたのは、ピアンキ王から２５００年後の１８２０年代、ムハンマド・アリーの治世である。ピアンキ王の後継者は50年以上も、クシュと上下エジプトの王として君臨した。これが、古代エジプト史でいうところの第

25王朝にあたる。聖書にも登場するタハルカ王（紀元前690～664年）は、領土全土で主にアメン神殿を多数建設した。クシュは、エジプト芸術や建築にはルネッサンスをもたらし、スーダン芸術では新様式を生み出した。

クシュと同じく紀元前9世紀頃から勢力を持ち始めた王国にアッシリアがある。アッシリアは、現在のイラン、イラク、シリア、トルコ、サウジアラビアを支配下に収めた。まずレバント地方、次いでエジプトでクシュとアッシリアという二大帝国は衝突した。この戦いについては、同時期の史料や聖書から知ることができる。戦闘は3世代にわたり続いた。紀元前663年にアッシリアはエジプトでクシュを打ち破り、テーベを略奪した。クシュ王国は後退しなければならなかったが、スーダン国内での権力は保ち続け、その後も約1000年にわたって繁栄した。現在のハルツームあたりまでのナイル川流域を支配し続けることができたのである。ナイル川から西と東のどのあたりまで支配下に置いていたのか不明であるが、少なくとも、リビア砂漠やブタナ砂漠を流れるワディ・ホワールを約110キロメートル遡ったあたりまでは、支配下に収めていたと考えられている。

クシュ王国の中心地は、少なくとも紀元前5世紀以降のことになるが、現在のハルツームから北へ約200キロメートルにあるメロエにあったと考えられる。それは、王がメロエに居住していたことによるのだが、メロエがより重要な場所となるのは、紀元前3世紀初頭に王墓が建てられるようになってからである。王族はピラミッドや祠堂《しどう》を建て、その数は２００基以上にのぼった。

クシュの人びとはエジプトとの交流を続けていた。それゆえ、クシュ文化にはサハラ以南のアフリカ文化がエジプトファラオ期やヘレニズム・ローマ期の文化的影響を受け、さらにそれらが融合した様子が窺える。この現象はメロエ文化における美術、宗教、言語において顕著である。クシュ人は独自の言語を持っていたはずだが、文字が発達したのは紀元前3世紀のことであった。以後、記念碑的なものや落書きなどの文字史料が増えたのだが、この文字はまだほとんど解読されていない。メロエは金属器、精製土器、ガラス生産の中心地でもあり豊かな物質文化を誇った。工房や窯はメロエ内のロイヤルシティ東部から南東部にあり、鉄滓《てっさい》のマウンドもあることから、そこで製鉄が行われていたことがわかる。

神殿では、国家神としてメロエ語で「アマニ」と呼ばれたアメン神があがめられ、羊頭の人間の姿で描かれた。アメン神はそれまで信仰されていた在地の神々の一員となった。在地の神々とは、例えば戦闘の神であるアプデマク神である。ライオンは王の力を表していた。そして、力強い女王たちが多数存在しカンダケ（カンダカ）と呼ばれていた。このカンダケについては第２章と第６章でも言及する。

ポストメロエ期（紀元4～5世紀）

この時期に古代から中世への文化変容が起きる。クシュ王国は衰退し、4世紀には滅亡した。直接的な原因は明らかになっていないが、交易の衰退が原因の1つだったと考えられる。クシュは中世に入ると3つのキリスト教国へと分裂し、考古学者はこの時期をポストメロエ期と呼ぶ。この過渡期を示す資料として、支配者層の墓から出土した遺物がある。神殿や王宮はほとんどなく、ロイヤルシティは人口が減少し、かつての集権国家はいくつかの小国家へと分裂した。メロエの王家と貴族のピラミッドは建造されなくなり、大型墳丘墓が造られるようになった。代表的な遺跡は、ナイル川第2急湍の少し北にあり地方首長墓が造られたバッラーナや、メロエに近接しメロエ王家後継者ための墓が営まれたエル＝ホバギである。

キリスト教期（550～1500年）

文献史料では、6世紀半ばまでにヌビア人が、スーダン北部ファラスを首都とするノバティア、スーダン中央部にはオールド・ドンゴラを首都とするマクリア、スーダン南部にはソバ・イーストを首都とするアルワ（アローディア）という3つの国を興《おこ》したとある。ただし、ノバディアはすぐにマクリアに併合される。ビザンチン期にあったエジプトから使節団が送られ、コンスタンチノープルはこれらの国をキリスト教へと改宗させた。

この変化は、ナイル川中流域の文化史において重要な画期となった。新宗教とその急速な受容が、長年培ってきたエジプト的、または在地の宗教習慣をすっかり拭い去ったためである。キリスト教の受容や、そしてのちにイスラーム教を受容することで、来世への意識や副葬品への配慮が不要となり、土坑墓はシンプルな形式へと変化していった。

アラブ軍は、７世紀初頭に現在のサウジアラビアから始まり、ビザンチンやササン朝ペルシャを圧倒するほどまでに勢力を拡大した。同軍は６３９年にエジプトへ侵攻し、政権を交代させた。エジプトの新しい支配者は、直ちにアブドゥッラー・ビン・サラフ指揮のもとヌビアへも侵攻したが失敗に終わる。支配を試みたエジプト軍には、険しい地形と弓を巧みに操る勇猛な戦士がいる場所という強い印象を植え付けることになった。

この衝突後まもなく、「バケト」と呼ばれる和平協定が、ヌビアの国家領域を保証し、集団間の交易品の定期的な流通を保証するために締結された。バケト協定は６００年以上も続き、ヌビアとアラブの関係構築の礎となった。そして、中世国家を繁栄へと導き、特徴ある建築や洗練された美術様式や工芸から、豊かで活気ある文化を育成したのである。

識字率も前代より高まった。この時期の史料にはギリシャ語、コプト語、アラビア語そして古ヌビア語で記されたものがある。水車の一種である「サーキア」が広範囲に導入されたことで十分な農業環境が整い、ヌビア語を話す人びとが増えた。輸送手段としてのラクダの導入は、砂漠の道を拡大させ、より広範囲な交易網を作り上げることにつながった。

12世紀には、エジプトを支配下においていたマムルーク朝との関係が徐々に悪化し、次の2世紀間でマクリアの首都は断続的に侵略を受け始め、北からの支援を受けて王権簒奪を狙う人びとがそれを助長していった。1317年には、現存する碑文からマクリア王の玉座の間がモスクになったことが明らかになっている。そして6年後には、キリスト教国であったマクリアの支配者もイスラーム教徒になった。1365年頃にオールド・ドンゴラは廃絶して小規模なドタウォ王国が建国され、15世紀頃まで続いた。

イスラーム教期（1504～1821年）

紅海沿岸に定住したアラブ人はまずエジプト方面へ居住域を広げ、次にナイル川から西方に向かって居住域を広げていった。しかし、アラビア半島とスーダンの関係はイスラーム教導入後に始まったものではない。東部砂漠にあるコホル・ヌブトから出土したイスラーム期の墓碑は9世紀半ば頃のもので、初期のアラブ人がどのようにスーダンへ入り込んでいったのかを示す資料である。アラブ人によるアラビア半島からスーダンへの移住はイスラーム文化へ多大な影響を与え、バーディウ、アイザーブ、サワーキン、センナール、エル・ファーシル（写真4）における港湾施設や市街地の形成を促した。

また、キリスト教共同体の中にムスリムが共存していたことも明らかになっている。大きなムスリム共同体の主体は商人であり、10世紀に青ナイル流域のアルワ首都に存在していたという記録がある。

マクリア王国の衰退とは異なり、アルワ王国の衰退に関する記録はほとんど残っていない。首都で巨大な焼成レンガ造りの教会が発掘され、13世紀初期まで利用されていたことが明らかになった。一番新しい記録は、アルワの首都ソバが１５０４年に廃絶したことを記しているフンジ王国記である。アラブとフンジ王国の支配者であるアブドゥッラー・ガマーウとアマーラ・ドゥングスの協定により、センナールを首都とするフンジ王国が建国された。陶器、パイプ、ドラム、刀剣そして多数の文書が残されている。文書には、城郭、王宮、モスク、コーランを学ぶ学校での生活のすべてが記されていた。スルタンは、青ナイルと白ナイルの間のゲジーラを占拠し、上流はコルドファン、東は紅海沿岸のサワーキンまでを領土とした。

この連合国家は、スーダンの他の地域でのイスラーム国家出現を促した。西スーダンのフールやエル・マ

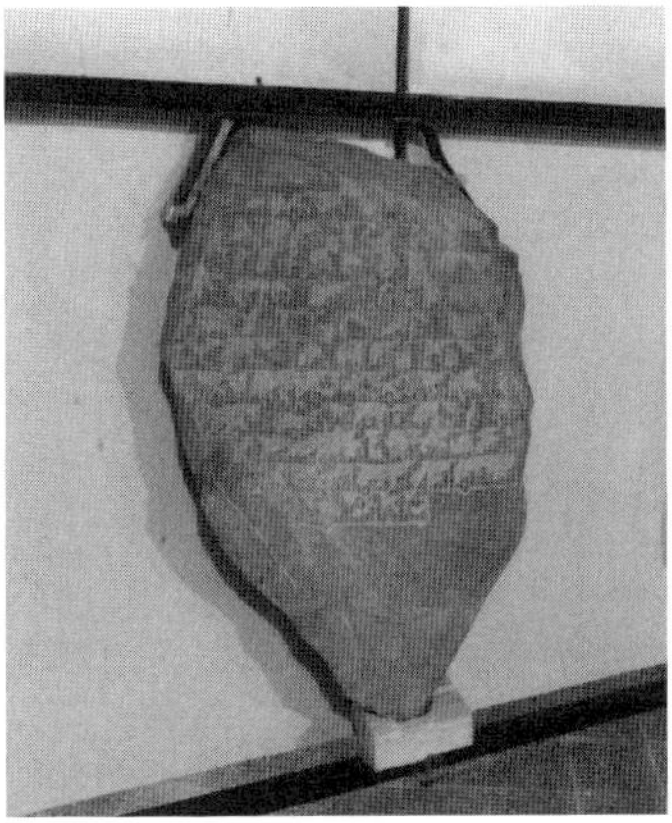
写真４　バーディウ出土碑文

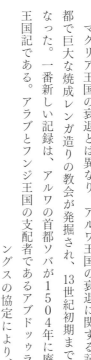

サバアート、最初はガッリーに首都をおき後にハルツーム近郊のハルファーヤに首都をおいたエル・アブダラーブ首長国、紅海とファゾウグリの首長国がこれに相当する。

以上がスーダンの先史時代からイスラーム期の概略史である。なお、キリスト教期とイスラーム教期を区分したが、各期の主要な宗教を示しているだけで、どちらか一方が排除されていたわけではないと理解していただきたい。また、キリスト教とイスラーム教の共存はこの2時期のみならず、現在も市民レベルで続いている。

筆者もこれまでのスーダンへの訪問の際、キリスト教徒とイスラーム教徒のスーダン市民から両宗教の関係について話を聞く機会を得てきた。大抵、話の主なポイントは両者が日常的に対立しているわけではないこと、交流もあること、スーダン国外で両者が対立しているイメージを勝手に作られていることに困っていることであった。スーダン史の中だけでなく、こうした共通認識が市民レベルで存在していることにも留意しておきたい。

次に、これまでの「過去」の記述に潜む問題点に焦点を当ててみよう。

4　「過去」の記述に潜む問題点

ユネスコ・ハルツームの設立は2006年であり、前掲の冊子の刊行だけでなく、近年はスーダン国立博物館改修事業、無形文化遺産関連のワークショップなど活動がより活発化している。

しかし、スーダンにおけるユネスコの最大の業績は１９６０年代に実施されたヌビア遺跡群救済キャンペーン（以下、キャンペーン）であり、１９７１年のスーダン国立博物館（以下、国立博物館）設立である。筆者もこのキャンペーンについて幾度となく言及してきた。世界遺産ブームの中であれほどエジプトのアブ・シンベル神殿やフィラエ神殿が話題となるのに、同じキャンペーンで保存対象になったスーダン側のヌビア遺跡群（写真５）が話題になることはない。その理由として、独裁政権下での情報統制、米国によるテロ支援国家指定、そして研究者自身が抱えた黒人差別という負の要素が重なり、スーダン人研究者でさえ声を大にして現状を訴えるということができなかったという側面がある。

写真５　キャンペーン移築建物

これを少しずつ解きほぐす必要性があるというのが、スーダン研究や文化財保護の特殊な背景である。２０１９年のスーダン革命後、情報統制やテロ支援国家指定は解けた。しかし、黒人差別に基づく歴史観は今も残っており、想像以上に深刻である。スーダン史は、前項にある「エジプトによるヌビア統治期（紀元前1500〜900年：エジプト新王国期）」のみがエジプト史の一部として注目を集めてきた。一方、それ以外の時代、地域、事象はまるで空白であるかのように扱われてきたことが、同じキャンペーンで調査保存対象となりながら、世界遺産条約制定のきっかけとなった遺跡として言及されない現状を生み出してしまっているとも言えるだろう。

もうひとつ顕著な例は、エジプト第25王朝を治めたクシュ王を「ブラック・ファラオ」と呼ぶ点である。この王は前項で「クシュ王国Ⅱ期」とした時代の王である。エジプトと北部スーダンのナイル川流域に住む人びとの間に大きな遺伝学的な相違はないことは明らかにされているが、それでも古代スーダンのクシュ王の統治にあえて「ブラック」という形容詞をつけるのには、やはり植民地支配以降の差別的な背景がある。ナショナルジオグラフィックをはじめとするエジプト史関連の出版物や記述にはいまだに使用されることがあるが、基本的に使用するべきでない名称であると筆者は考える。

「過去」の記述に潜む問題点は、静かに、しかし確かに深刻なものとして残存している。

5　「過去」を現在から未来につなげるために

前項で示してきたスーダン史は、イギリス、フランス、スイス、ドイツ、イタリア、アメリカ、ポーランドといった外国調査隊とＮＣＡＭや大学が行ってきた調査成果に基づいている。調査研究は、独裁政権下で、スーダン革命下で、政変下で、そしてＣＯＶＩＤ－19まん延下でその時々に姿を変えながら継続され、紛争下の現在も続く各地域共同体との信頼関係構築の歴史でもある。そもそも、これまでスーダン文化財の歴史的、現代的意義が地域で失われたことは一度もない。筆者は「過去」の記述方法をはじめとする問題の所在は、どちらかというとスーダン国外にあると考えている。ならばなおさら、今、未来のために「過去を護る」闘いを続けているスーダン人文化財担当者たちを放っておくことはできない。それは、文化財担当者に限らないかもしれないが、その記述は後章の執筆者にゆだねることにする。

＊　参考文献

Abdelrahman Ali Mohamed 2017 *Sudanese Cultural Heritage Site*. Including sites recognized as the World Heritage and those selected for being promoted for the nomination. UNESCO.

関広尚世　２０１５「スーダン－ヌビア遺跡群救済キャンペーンとその後」『イスラームと文化財』新泉社、１５３～１６６頁。

Sekihiro, N. 2023 Management of Cultural Assets in Sudan from the Perspective of Sustainable Development Goals. [IN:] G. M. El-Qady and C. Margottini (eds.) *Sustainable Conservation of UNESCO and Other Heritage Sites Through Proactive Geosciences*. Cham, Swirzerland: Springer International Publishing AG; 691–712.

第2章　民族の多様性

石村　智

1　はじめに

スーダンは多民族国家である。その民族の数は一説によると570にもおよぶと言われている。[1]

スーダンでは長年にわたって、民族間の対立による武力紛争や政治的迫害が続いてきた。民族の違いが、人びとの分断をもたらすという不幸な歴史が続いてきたことはまぎれもない事実である。

しかし民族の違いは、必ずしもこうした負の側面だけをもたらすものではない。民族の多様性は、この国の文化の多様性を示すものでもある。人びとがこの多様性をたがいに認め合い、その特徴、特性を活かすことによって、活力ある国づくりにつなげていくことができるというポテンシャルも有しているのだ。

本章では、まずスーダンの民族の分布について概観することにしたい。続いて民族の分断という不幸な過去について振り返るとともに、未来に向けて民族の多様性を活かした国づくりを行うことの可能性について、議論することとしたい。

2　スーダンにおける民族の多様性

スーダンはその国土面積は186万1484平方キロメートルにおよび、それは日本の約5倍、アフリカ大陸においても第3位の広さとなる。その広大な国土に、約4800万人の人びとが暮らしている。[2]

500以上、スーダン人研究者によっては570にもおよぶというスーダンの民族のそれぞれについて、ここで紹介することは困難である。そのためここでは、スーダンに存在するいくつかの民族を紹介するとともに、それぞれの民族の間に見られる宗教や文化、社会の違いを明らかにすることで、スーダンの民族の多様性を明らかにすることとしたい。

アラブ系スーダン人

スーダンの民族のうちで最大の集団がアラブ系スーダン人（Sudanese Arabs）と呼ばれる人びとである。彼らの人口は約3000万人と、スーダンの全人口の6割以上を占めている。その多くが首都ハルツームを含むスーダン北部のナイル川沿いの地域に居住している。

彼らは自分たちをアラブ人と自認しており、その多くはスンニ派のイスラーム教徒であり、アラビア語を母語として話している。しかしアラビア半島を中心とする「典型的」なアラブ人の多くはコーカソイド（白人）に属するのに対し、アラブ系スーダン人の外見的な特徴はネグロイド（黒人）に近い。これは、12世紀頃にアラビア半島のアラブ人がこの地に移住してきて、すでにこの地に居住していたネグロイド系の先住民と混血した結果であるとみなされている。

なおアラブ系スーダン人というひとつの民族が存在するわけではなく、実際には数多くの民族に分かれている。[3] 例えばハルツームとアブ・ハマドの間のナイル川流域沿いに住むジャアリ、コルティとジャバル・アル・ダジェルの間のナイル川沿いとバユダ砂漠の一部に住むシャイギヤ、ナイル川の東と西に住むユハイナなどが挙げられる。

今日のアラブ系スーダン人のうち都市の住民は西洋風の衣装を着ている者も多いが、伝統的な衣装であるジャラビヤやトーブも広く用いられている。ジャラビヤは男性の衣装で、ゆったりとしたワンピースとなっており、これに合わせて大きなスカーフを巻くのが一般的ないでたちであ

写真1　アラブ系スーダン人の家族
出典：Petr Adam Dohnálek, CC BY-SA 3.0, via Wikimedia Commons

る。女性が着るトーブは、幅が1メートル、長さが4〜5メートルの長い一枚の布であり、これを身体に巻き付けて着こなすのである。

ヌビア人

ヌビア人（Nubians）はスーダン北部とエジプト南部の両国にまたがって居住している人びとである（Fernea 1966; 1973）。スーダン側には約80万人が居住している一方、エジプト側に居住するのは推計で30万人とも500万人ともいわれており、はっきりしない。

ヌビア人はナイル川中流域に居住してきた人びとで、ヌビア語を母語とする。学校教育はアラビア語で行われるが、今なお独自の文化を持つことで国外での知名度も高い。

メロエ王国滅亡後（紀元350年頃）、北部にノバティア（5〜7世紀）、中央にマクリア（5〜16世紀）、南部にアルワ（6〜16世紀）という3つの王国が建てられた。3つの王国が建てられた時期、人びとはキリスト教を信仰し始めており、8世紀頃にイスラーム教がアラブ商人によって伝えられたが、両者は平和に共存していた。14世紀頃にイスラーム教のスーフィーズム（神秘主義）が伝えられてイスラーム教が広がり、16世紀頃までにはほとんどの住民がイスラーム教徒となった。しかし現在のヌビア人の宗教にも、イスラーム教と伝統宗教の混合した要素がみとめられるという。

ヌビア人という集団もひとつの民族をあらわすものではなく、ダナクラ、マハスなどいくつかの民族に分かれている。なおエジプトによってナイル川にアスワン・ハイ・ダムが建設された際、水没地域（現在のナセル湖）に居住していた多くのヌビア人は故郷を追われ、アスワン北方のコム・オムボ地区やハルツーム東方のハシュムル・ゴルバ地区などに移住した。

ヌビア人の文化で特徴的なのはその建築様式で、高い壁に囲まれた広い中庭を持つ住宅と、華やかな装飾が施された門がその特徴である。門はナイル川に面して設けられることが多く、その漆喰《しっくい》の壁は、家族に関係するシンボルや、幾何学模様、ヤシの木、不運を追い払う邪眼などのモチーフで装飾されることが多い。

またヌビア人の中には、わざと皮膚を傷付け、その傷跡で肌を飾る「瘢痕文身《はんこんぶんしん》」という身体装飾の習慣を持つ人びともいる。このうちマハスは頬に3本の傷跡を付け、またダナクラはこめかみに傷跡を付ける風習を持っているが、最近の若い世代ではこの風習はほとんど廃れつつある。

カバビシュ人

カバビシュ人（Kababish）は、スーダンのコルドファン地方北部に住む遊牧民族である（Asad 1970; Verity 1971）。彼らは約19の異なる集団に分かれていて、それぞれの集団はナジールと呼ばれる首長によって統率されている。その人口は7～30万人と推定されている。

彼らの主な生業はラクダを飼育することである。スーダンおよびアラブ世界ではラクダは非常に重要な家畜であるため、彼らの果たす役割は大きい。

カバビシュ人の多くはスンニ派のイスラーム教徒であり、アラビア語を母語とするが、読み書きができる者は少ない。男性は白い丈の長いチュニックを着てゆったりとした白いズボンを履き、白いターバンを着用する。女性は青い長い布を身体に巻き付けた服装をしている。さらに男性の多くは身を守るための短剣や剣、場合によってはライフルやショットガンを携行している。

カバビシュ人の家はテントで、キャンバスによる壁と、ラクダの毛や革による屋根で構成されている。このテントの家は折り畳んでラクダの背に乗せ、移動させることが可能な作りとなっている。ただしカバビシュ人は家族が一緒に移動することは少なく、男性が遊牧のため砂漠を北上している間も、女性はディッカと呼ばれるキャンプ地に留まるのが一般的である。

１９８０年代に起こった飢饉の影響で、彼らの中には都市に移住したり、半遊牧的な生活に移行したりした者も少なからずいるようである。

ヌバ人

ヌバ人（Nuba）は、スーダン南部の南コルドファン州のヌバ山脈に住む先住民族であるが、少なくとも２つの異なる系統の言語が話され、50ほどの民族に細分される。ヌバ人の人口は一説には２００万人ほどと推計されるが、その正確な数字は分かっていない。

ヌバ人の生業は農耕と牧畜で、モロコシなどの雑穀や豆などの野菜を栽培するとともにウシやニワトリなどの家畜を飼育している。

ヌバ人の多くはイスラーム教徒であるが、一部ではキリスト教も信仰されている。また伝統的なシャーマニズムが信仰されている地域もあり、そうした地域では、儀式の専門家や司祭が、氏族の長老と同じくらい大きな支配力を持っている。

ヌバ人の家は、平面が円形で、泥を塗り固めた壁とモロコシの茎で葺《ふ》いた屋根で出来ている。家は２軒向かい合って建てられており、その周囲は木の柱と稟によって作られた柵によって囲われていて、その敷地は長方形となっている。その敷地はシャルと呼ばれており、２つのベンチが置かれ、家族はそこに座って焚き火に当たりながら物語や伝承を語るのである。

敷地の外にはトグと呼ばれる、高い柵に囲われた庭があり、ヤギ、ニワトリ、ロバなどの家畜がその中で飼われている。トグの隣にはデュルと呼ばれる円錐形の穀蔵があり、また裏庭ではトウモロコシやカボチャ、豆、ピーナッツなどの野菜が栽培されている。

写真2　ボディペインティングを施したヌバの男性

出典：Rita Willaert from Belgium, CC BY-SA 2.0, via Wikimedia Commons

ヌバ人の男性は腰布を身に着け、場合によってつばのない帽子をかぶる。女性も腰布を巻くとともに色鮮やかなビーズの装飾品を身に着ける。男女ともに、わざと皮膚を傷付けて傷跡を残す瘢痕文身の習慣を持つとともに、男性には割礼、女性には女性器切除を施す習慣を持っている。また祭礼の時や、死者に哀悼の意を示す時、女性が月経中であることを示す時などに、ボディペインティングを顔や身体に施したりもする。

ヌバ人の文化で特徴的なのは、レスリングへの情熱である。村の中で最も強い若者は、自身と村の誇りをかけて他の村の相手と競い合う。彼らは自らの身体に白い灰を塗って飾り、それを誇りにしている。

ヌバ人の名を世界的に有名にしたのは、ドイツ人の映画監督・写真家のレニ・リーフェンシュタール（1902～2003）である（リーフェンシュタール　1986）。彼女はナチスのプロパガンダ映画『意志の勝利』（1935年）や1936年のベルリン・オリンピックの記録映画『オリンピア』（1938年）の監督をつとめたことで有名な人物であるが、1962年から10年間にわたってヌバ人の取材を続け、写真集『ヌバ』（１９７３年）を公刊し、それによってヌバ人の存在は、ある種のエキゾティックなイメージをまとわされることで、世界中に知られるようになったのである。

ザガワ人

ザガワ人（Zaghawa）はスーダン西部のダルフール地方に居住する民族であるが、その分布はリビア南西部やチャド北東部にも広がっている（Tobert 1988, 1989; Tubiana and Tubiana 1977)。スーダンには約17万人のザガワ人が居住しているが、チャドには約20万人、リビアには約１万人が居住していると推計されている。

ザガワ人の主な生業は牧畜で、ウシ、ラクダ、ヒツジを飼育しており、特に彼らが飼育しているヒツジの品種はアラブ人たちにはザガワと呼ばれている。それ以外にもモロコシなどの雑穀やゴマやカボチャなどの野菜を栽培している。

現在、ザガワ人は自らをベリと呼称しているが、ベリという言葉はスーダン、チャド、リビアの周辺に居住するザガワ、ビデヤット、ベルティスなどの様々な民族集団を指す言葉でもある。

ザガワ人の多くはスンニ派のイスラーム教徒であるが、悪霊を追い払うために動物を犠牲にするカラマという儀礼を行うなど、イスラーム教以前の宗教の要素を残している。また彼らは北アフリカに広く分布するベルベル語の系統に由来する、固有の言語を保持している。

ザガワ人の祖先たちは9世紀頃にはダルフール地方にいくつかの王国を建てていた。初期のアラブ人の文献では彼らのことは「黒い遊牧民」と表現され、この地域のオアシスに覇権を及ぼしていたようである。その後、現在のナイジェリアに勢力の中心があったサイファワ王朝や、チャド湖周辺の地域に勢力の中心があったカネム帝国の侵攻を受けた。エジプトの歴史家アル＝マクリーズィー（１３６４〜１４４２）は、ダルフール地方にザガワ人の独立国家があったと記述しているが、その後もカネム帝国や他のダルフール地方の勢力によって次第に追い詰められ、砂漠の地域に追いやられた。

ザガワ人の社会は階層化されており、支配階級は貴族と戦士から成るが、その下には商人、さらにその下には職人が位置づけられる。職人階級の人びとは、男性は鍛冶か革細工、女性は土器作りに従事することが多い。ザガワ人の社会では職人は「汚れた」人びととみなされるとともに、異教徒にルーツを持っているとみなされている。

ザガワ人の職人たちは、平面が円形の、泥を塗り固めた壁と藁で葺いた屋根から成る家に住んでいる。この円形の家は数軒が集まって1世帯となっており、その周囲は壁によって円形に囲われている。この壁は中に住む家族や食糧、持ち物を「邪悪なまなざし」から守ると共に、動物の害や太陽の日差しを避ける役割を持っている。彼らは雨季の間は村にとどまっているが、乾季になると村を出て市場のあるところまで移動する。

ザガワ人は後述するダルフール紛争の時に深刻な迫害を受けた。彼らの多くはイスラーム教徒であるにもかかわらず「非アラブ人」もしくは「アフリカ人」とみなされ、バシール独裁政権下のスーダン軍およびアラブ系の民兵組織ジャンジャウィードの攻撃対象となった。そのため約10万人のザガワ人が国境を越え、隣国チャドで難民となっている。なおチャドの大統領イドリス・デビ（２０２１年に死亡）とその息子のマハトマ・デビ暫定大統領はザガワ人の出身である。

ヌエル人

最後に、現在のスーダン共和国ではなく南スーダン共和国に居住する民族であるが、有名な民族であるヌエル人（Nuer　ヌアーとも表記）について紹介したい。

ヌエル人は人類学者エドワード・エヴァンズ＝プリチャード（１９０２〜１９７３）が民族誌『ヌアー族――ナイル系一民族の生業形態と政治制度の調査記録』を記したことから世界的にその名が知られるようになった（エヴァンズ＝プリチャード　２０２３）。

ヌエル人は約１８０万人が南スーダンに居住していると推計される。彼らはヌエル語を母語とし、その多くはアニミズムに基づく伝統宗教もしくはキリスト教を信仰している。

ヌエル人の主な生業は牧畜で、ウシ、ヤギ、ヒツジなどの家畜を飼育するほか、モロコシなどの雑穀や豆などの栽培を行う。雨季には高台に設けられた集落に居住し、乾季には家畜を連れて放牧を行う。

ヌエル人にとってウシは貴重な経済的価値を持っており、その交換や譲渡を通じて、社会関係の構築を行っている。ヌエル人は王国のような統一した政治体制は構築せず、10以上の集団に分かれているが、それぞれの集団は明確な領土を持っており、それが政治的な単位となっている。それぞれの集団の中はさらに細かい単位の共同体に分かれている。

しばしば集団の内部で戦闘や抗争が行われるため、「豹皮司祭」と呼ばれる人物が調停者の役割を果たす。一般的にはこれらの賠償手段としてウシが用いられる。集団を統率する首長や、集団間の紛争の調停者はいないが、他民族との戦争においては神の言葉を語る「予言者」と呼ばれる人物が指導的役割を果たす。

ヌエル人の家族制度では「生物学的な父親」と「社会的な父親」が明確に区別されている。結婚の時に結納のウシを女性の親族に送った人物が女性の夫として、彼女の産むすべての子供の父親の権利を得る。この父親の権利は男性に限らず、結納を納めることができれば女性でも父親として子供を持つことができる。また、死者の名義で結納を送り、生まれた子供を死者の子とすることもある。

第2次内戦（1983～2005）では、ヌエル人をはじめとする約250万人のスーダン南部の住民が殺され、数百万人が居住地を追われた。南スーダン共和国の成立（2011）を受けて、今日ではヌエル人は南スーダンに居住している。

このようにスーダンには様々な民族が存在し、その社会や文化も多様である。その生業を見ても、農耕を主体としたものから牧畜を主体としたものまで様々であり、居住している地域の環境を見ても、北部に広がる砂漠から、南部のサバンナ、ナイル川流域の農地が広がる平野など、様々である。こうした環境の多様性が、多様な民族とその生業のあり方に反映していると考えられる。

3　民族の分断の歴史

スーダンは長年にわたってエジプトとイギリスの両国による共同統治下にあり、1954年に自治政府が発足、1956年にスーダン共和国として独立国家となったが、その後も第1次内戦（1955〜1972）、第2次内戦（1983〜2005）、ダルフール紛争（2003〜2019）、南スーダンの分離独立（2011）と、武力紛争や政治的混乱が続いてきた。そしてその背景には民族の対立と分断があり、より具体的には、イスラーム系住民と非イスラーム系住民の対立、そしてアラブ系住民とアフリカ系住民の対立があった。

ここではその事例として、南スーダンの分離独立とダルフール紛争とについて見てみることとしたい。

南スーダンの分離独立——イスラーム系住民と非イスラーム系住民の対立

1956年にスーダンが独立した時、その領域は現在のスーダン共和国と南スーダン共和国を合わせたものだった。スーダン政府は北部のアラブ系スーダン人を中心に構成され、アラブ化・イスラーム化を進めたため、南部の非イスラーム教徒が主体の住民たちはそれに抵抗し、内戦状態となった。

第1次内戦は実質的にスーダン独立以前の1955年から始まり、北部のアラブ系イスラーム教徒と南部の非アラブ系（アニミズムなどの伝統宗教やキリスト教を信仰する）諸民族との間で戦われた。1972年に、当時のエチオピア帝国の皇帝ハイレ・セラシエ1世の仲介によるアディスアベバ合意が締結され、第1次内戦は終結した。これにより南部の3州（アルイスティワーイーヤ、アーリアンニール、バルアルガザル）が自治を認められた。

しかし1983年、南部に「新スーダン」建設を掲げる非アラブ系の民族であるディンカ人が主体の反政府組織、スーダン人民解放軍（ＳＰＬＡ）が組織され、スーダン政府が進めるイスラーム化に反発してゲリラ闘争を開始し、第2次内戦に突入した。

第2次内戦では、ディンカ人やヌエル人をはじめとする約２５０万人のスーダン南部の住民が殺され、数百万人が居住地を追われたといわれている。

２００５年1月9日、スーダン政府を率いるバシール独裁政権とスーダン人民解放軍（ＳＰＬＡ）の間でついに包括的な暫定和平合意が結ばれた。これにより、南部スーダン自治政府がスーダン政府から自治を認められ、第2次内戦は終結にいたった。そしてこの合意に基づいて２０１０年4月に、大統領選挙、南部スーダン政府の大統領選挙、国民議会選挙などを含む総選挙が行われた。この総選挙には日本政府も選挙監視団を派遣するなど国際社会から大きな注目が寄せられ、幸いなことに比較的平穏に実施することができた。[4]

続く２０１１年に、南部スーダンの分離独立の是非を問う住民投票が実施され、分離独立票が98%を超える圧倒的多数を占めた。新国名は「南スーダン共和国」となった。２０１１年７月14日、国際連合総会にて国際連合への加盟が承認され、１９３番目の加盟国となった。

しかし独立後も、南スーダンの政治的状況は不安定なものであった。２０１２年にはアビエイ地域のヘグリグ油田の権益をめぐって、南スーダン共和国とスーダン共和国の武力衝突が発生したほか、２０１３年にはクーデター未遂事件が発生し、ディンカ人とヌエル人の間での民族紛争を引き起こすまでにいたった。２０１４年、非政府組織の平和基金会が発表した「世界でもっとも脆弱な国家ランキング」で、南スーダンは首位となった。２０２３年のランキングでも3位となっている。

ダルフール紛争――アラブ系住民とアフリカ系住民の対立

ダルフール紛争が起こったダルフール地方は、もともと多くの民族が居住する地域であった。大きく分けると、上述のザガワ人やフール人、マサリート人などの非アラブ系の住民と、バッガーラ人と呼ばれる13世紀以降にこの地域に移住してきたアラブ系住民とがいる。彼らの多くはイスラーム教徒であるにもかかわらず、両者は長年にわたって緊張関係にあった。

前述のとおりスーダンではイスラーム教徒のアラブ系スーダン人が中心のスーダン政府と、南部スーダンの非イスラーム教徒が主体の非アラブ系諸民族との間での内戦が長年にわたって続いていたが、２００３年にスーダン政府と南部の暫定南スーダン政府の間で包括和平協定が結ばれ、その中で石油の権益を分け合うことが合意された。

しかしこの合意はダルフール地方の非アラブ系の住民にとって満足のいくものではなかった。ダルフール地方の2つの反政府勢力「正義と平等運動（ＪＥＭ）」と「スーダン解放運動（ＳＬＭ）」が、政府による非アラブ系住民への不公平な扱い方を非難し、反乱を起こした。

それに対しスーダン政府軍と、スーダン政府に支援されたバッガーラ人を主体としたアラブ人系の民兵組織「ジャンジャウィード」が反撃し、さらにダルフール地方の非アラブ系住民の大規模な虐殺や村落の破壊にまで発展していった。その後、このジャンジャウィードから発展する形で即応支援部隊（ＲＳＦ）が組織された。

この紛争では２００３年以降、正確な数字は不明であるが約40万人が殺害され、さらに多くの人びとがその居住地を追われたり、難民として隣国のチャドに逃れたりした。

ダルフール紛争は、スーダン政府軍と民兵組織による「民族浄化」の武力紛争として世界中から非難され、ついにはスーダン政府を率いるバシール大統領は国際刑事裁判所（ＩＣＣ）から逮捕状が出された。一方で反政府勢力の「正義と平等運動（ＪＥＭ）」も一時は攻勢を強め、首都ハルツームの近郊まで侵攻するほどであった。

この紛争は政治的にはアラブ系住民と非アラブ系住民の対立という図式とされるが、牧畜を生業とする住民にアラブ系が多く、農業を生業とする住民に非アラブ系が多いことから、水と土地をめぐる経済的な争いの要素があることは否定できない（ムサ・モハメッド・オマール・サイード２００６）。

２０１０年10月23日、カタールの首都ドーハで、カタール政府などの仲介により、スーダン政府と主要反政府勢力「正義と平等運動（ＪＥＭ）」が即時停戦を含む「ダルフール問題解決のための枠組み合意」に調印した。そして２０１３年２月10日、スーダン政府と「正義と平等運動（Ｊ

ＥＭ）」がドーハで停戦協定に調印するにいたった。

さらに２０１９年4月11日、スーダン軍によるクーデターでバシール独裁政権は崩壊し（スーダン革命）、軍はダルフールを含む全土での停戦を宣言した。同年８月、スーダン政府はダルフール地方などの紛争終結を目指す和平プロセスに着手。複数の反政府勢力と交渉を続けた結果、同年12月28日に９つの反政府勢力の連合体であるスーダン革命戦線（ＳＲＦ）との間で、和平へ向けた行程表（ロードマップ）を策定し署名にいたった。これをもってダルフール紛争は一応の解決にいたった。

こうした内戦や紛争は、民族の違いをめぐるものであることは否定できない。しかしその背景には政治的・経済的な問題があることには十分注意する必要がある。そしてここで私が強調したいことは、民族の違いが争いを引き起こすのではなく、争いの理由付けに民族の違いが利用されることの方が多いということである。

そしてむしろ民族の多様性は国の復興に向けた原動力にもなり得るのである。そうした具体例を、次節では見ていきたい。

４　民族の分断を超えて

スーダン革命を経た２０２０年、スーダン暫定政府のアブダッラー・ハムドゥーク首相はすべての国民に信教の自由を保障すると宣言した。これまでのバシール独裁政権は、スーダンのアラブ化を進めるためにイスラーム教を国教とし、他の宗教を制限していた。信教の自由は、新たに歩み出したスーダンの民主化を進めるとともに、民族の多様性を尊重し民族の融和を進めるためのステップのひとつであった。

そうした具体例のひとつとしてヌバ人出身の女性ナタリア・ヤコブの事例を紹介したい。ヌバ人の中には首都ハルツームに暮らす人びとも多い。そうした彼らは、２０１１年よりハルツームの近郊オムドゥルマンでヌバ文化遺産フェスティバルを開催してきた。このイベントの一環として、教育を受けた若いヌバ人の女性をビューティー・クイーンとして選出することも行われてきた。２０１４年、当時アファド女子大学の学生だったナタリナ・ヤコブがビューティー・クイーンに選ばれ、さらにヌバ人として初のＴＥＤｘ講演を行った。

ＴＥＤとはアメリカ発のビデオ・コンテンツで、影響力のある人物のプレゼンテーションを放送するものであり、過去には元アメリカ大統領のビル・クリントンや、ミュージシャンのＵ２のボノなどが出演している。ＴＥＤｘはそのフランチャイズ企画であり、世界各地で地域や大学などが自主的にカンファレンスを開催し、発表者がプレゼンテーションを行うというものである。
ナタリア・ヤコブはスーダンにおける少数民族のヌバ人の出身であり、さらに宗教的にも少数派であるキリスト教徒である。彼女は2019年12月24日に、スーダン暫定政府のアブダッラー・ハムドゥーク首相にクリスマスプレゼントを贈った。それを受けて首相は「これが、私たちが夢見るスーダンです。多様性を尊重し、すべてのスーダン国民が安全で尊厳のある環境で信仰を実践できるようにするものです」とのメッセージを発信した（Amin 2019）。

もうひとつ、文化の多様性が国づくりの力となる可能性を示す事例として、古代クシュ王国の女王アマニレナス（カンダケ）と、「スーダン革命のカンダケ」と呼ばれた女性アラー・サラーのことを紹介したい。

アマニレナスは紀元前1世紀末から紀元1世紀前半頃にクシュ王国を治めた女王である。前述の通りクシュ王国は、ナイル川中流域のメロエを中心地として栄えた古代の王国である。アマニレナス女王の時代には、当時エジプトを支配していたローマ帝国と勢力を争った。クシュ王国は、一時はエジプト南部のアスワン地域まで侵攻し、シエネ（現在のアスワン）にあった皇帝アウグストゥスの銅像を奪って王都のメロエまで持ち帰った（なおこの銅像は後にイギリスの考古学者ジョン・ガースタングによって発掘され、現在は大英博物館に展示されている）。ローマ帝国もクシュ王国の力を認めざるを得なくなり、ついには両国の間で平和条約を結ぶにいたった。

大英博物館に展示されているアウグストゥスの銅像（左）と、リバプール大学シドニージョーンズ図書館にてアウグストゥスの銅像に関する文献調査を行う筆者（右）［いずれも関広尚世氏撮影］

ローマ帝国の進出を妨げたアマニレナス女王は、武勇に優れ、しかも隻眼であったと伝えられていることから、そのイメージはスーダンの国のシンボルのひとつとなった。「カンダケ」というのは女王に与えられた称号であるが、そこから彼女はカンダケと呼ばれることの方が多い。そして彼女のイメージはしばしば、植民地主義に対する抵抗、白人中心主義に対する黒人の対抗、そして女性の力の象徴として語られてきた。

２０１９年４月に始まったスーダン革命では、多くの女性たちが参加し、その原動力となったことが知られている（栗田２０２０）。そうした中でアイコン的な役割を果たしたのが、「スーダン革命のカンダケ」ことアラー・サラーである（BBC 2022）。

彼女はスーダン革命当時22歳の、スーダン国際大学で工学と建築を学ぶ学生であった。彼女は伝統的な衣装である白いトーブを着て金の耳飾りを付け、古代の女王カンダケを思わせる姿で車の屋根の上に立ち、歌を歌ってデモに参加した人びとを鼓舞した。その様子を女性活動家のラナ・ハルーンがスマートフォンで撮影し拡散したところ、それは世界中に広がり、彼女はスーダン革命のアイコンとして知られるようになった。彼女は２０１９年10月に国連の安全保障理事会でスピーチを行い、スーダン暫定政府の中で女性が平等な立場を得ることができるよう主張した。

このカンダケの事例は、民族の多様性という観点から見ても興味深い。カンダケは古代のクシュ王国の人物である。しかしそれ以降の時代に、様々なルーツを持つ民族が交差することによって現在のスーダンの人びとが構成された。そのため現在のスーダンの人びとにとってカンダケは必ずしも直接の祖先であるとは限らない。しかしカンダケのイメージは、今となってはスーダンのすべての人びと、さらにはスーダン以外の人びとに対しても共有されるものとなっている。つまり彼女のイメージは、古代の民族の歴史に由来しつつも、「自由」「女性」「平和」といったより普遍的なメッセージへと昇華されているのである（第６章も参照）。

このように民族の多様性は、新しい国づくりの力の源泉と成り得るのである。そして民族の多様性を尊重することは、人びとの間で対話をうながし、平和の構築につながっていくのである。そうした時、多様性（diversity）と包括（inclusion）を合わせた「D&I」の考え方が参考となる。

「D&I」の考え方は近年、ビジネスや組織のマネジメントの分野でよく語られるようになったものである。それは人びとの違いを認め、その違いを積極的に活用していこうというものである。その中には「女性や外国人の人材登用」「高齢者や障害者の雇用促進」「ＬＧＢＴＱへの理解促進」「多様な働き方の制度整備」などが含まれる。そうした違いを尊重することで、優秀な人材を定着させ、仕事へのモチベーションを向上させることが期待されている。

こうした「Ｄ＆Ｉ」の考え方は、スーダンのような多民族国家における国づくりにおいても応用可能だと筆者は考える。スーダンの中にいる多様な民族が、それぞれの違いを尊重しつつ、その相互作用によって活力のある国づくりを進めていくことを私たちは願ってやまない。

注

1　スーダンの民族数のデータにはばらつきがあり、日本の外務省のウェブサイトには２００以上（https://www.mofa.go.jp/mofaj/area/sudan/data.html#section1）、Hamed (2020)には３００以上、ＣＩＡワールドファクトブック（https://www.cia.gov/the-world-factbook/countries/sudan/summaries）には５００以上との記載がある。

2　スーダン大使館ウェブサイト（https://sudanembassy.jp/country-profile/country-profile/）による。スーダン大使館ウェブサイト（前掲）には約４８００万人、日本の外務省のウェブサイト（前掲）には４２８１万人とあるが、データによってばらつきがある。それに加え、近年の武力紛争によって多くの人びとが国外に流出している可能性が高く、ここでは概数を示すにとどめたい。

3　「民族」は人類学的にも定義が難しい用語であり、またひとつの「民族」がいくつかの「民族」に細分される場合も多い。本論でいう「民族」はこのようなあいまいさを含んでいることをご承知おきいただきたい。また「部族」や「○○族」という言葉も同様に定義があいまいで、「民族」と区別するのが難しいことも多い。特に「部族」は進化人類学において社会発展の一段階を示す用語として用いられたこともあり、誤解を招きやすい。そのため一般的には「ヌアー族」などと呼ばれる人びとについても、本論では「ヌエル（ヌアー）人」と表記することとした。

4　日本の選挙監視団の団長を務めたのが、2010年2月まで在スーダン大使を務めた石井祐一氏（石井　2010／2011）である。

＊　参考文献

石井祐一　2010／2011「スーダンの今」『中東研究』1号、3～13頁。

栗田禎子　2020「女性たちによる革命――スーダン・弾圧とのたたかい」『世界』929号、154～160頁。

E・E・エヴァンズ=プリチャード〔向井元子訳〕2023『〔新版〕ヌアー族――ナイル系一民族の生業形態と政治制度の調査記録』平凡社ライブラリー942。

ムサ・モハメッド・オマール・サイード　2006「ダルフール問題は決してアラブ人と黒人の対立ではありません」（インタビュアー：清水眞理子）『AFRICA No.1』46、20～23頁。

レニ・リーフェンシュタール〔福井勝義訳〕1986『ヌバ――遠い星の人びと』新潮文庫。

Amin, M. 2019. Sudan celebrates Christmas publicly for first time in 10 years. *Middle East Eye* 25 December 2019. https://www.middleeasteye.net/news/christmas-returns-sudan-message-unity-and-equality（２０２４年１月31日閲覧）

Asad, T. 1970. *Kababish Arabs: Power, Authority and Consent in a Nomadic Tribe*. London: C Hurst & Co Publishers Ltd.

BBC 2022. 'Nubian queen' becomes Sudan protest symbol. *BBC News*. Archived from the original on 23 December 2022. https://www.bbc.com/news/av/world-africa-47873002（２０２４年１月31日閲覧）

Fernea, R. A. (ed.) 1966. *Contemporary Egyptian Nubia* (2 vols). New Haven: HRAF Inc.

Fernea, R. A. 1973. *Nubians in Egypt*. Austion & London: University of Texas Press.

Hamed, A. K. S. 2020. Language and Ethnic Groups in Sudan. *European Academic Research* 8 (6): 3333-3353.

Tobert, N. 1988. *The Ethnoarchaeology of the Zaghawa of Darfur (Sudan)*. Cambridge Monographs in African Archaeology 30. BAR International Series 445. Cambridge: BAR Publishing.

Tobert, N. 1989. Domestic architecture and occupant's life cycle: the case of a Sudanese province. *Traditional Dwellings and Settlements Review* Vol. 1, No. 1: 19–37.

Tubiana, M.-J. and J. Tubiana 1977. *The Zaghawa from an Ecological Perspective*. Rotterdam: A. A. Balkema.

Verity, P. 1971. Kababish nomads of northern Sudan. In P. Oliver (ed.) *Shelter in Africa,* pp. 25–35. London: Barrie & Jenkins.

第II部

市民革命とその後

[Ibrahim Sayed 作]

第3章　スーダンのアイデンティティ、民主化と開発プロセス

坂根宏治

はじめに

本書をいつ皆さんが読まれるのか、著者としては知る由もない。スーダンでは2019年4月に民衆によるデモにより30年間続いたバシール大統領が失脚し、民主化移行政権が誕生した。その後、民主化プロセスを進めてきたものの、2021年10月に軍事クーデターが発生し、2023年4月にはスーダン国軍と準軍事組織RSFとの間で軍事衝突が発生した。その後、2024年1月現在、RSFが優勢で、軍事的には膠着《こうちゃく》状態が続き、国民の6分の1に相当する800万人が国内外に避難し、人口の半数に相当する人びとが人道支援を必要とする状況に追

いやられている。

もう少し、長いスケールで歴史を振り返ってみたい。オックスフォード大学ビッグデータ研究所の研究者グループは、人類の起源は、ナイル川中流域、現在のスーダンのリバーナイル州付近であったとする論文を２０２２年に発表している。スーダンには、ナイル川の恵みにより豊かな土壌があり、農産物や家畜を中東諸国に輸出してきた。イギリス植民地時代には、イギリス植民地下で１、２位を争うハルツーム大学があり、知識人も多い国であった。独立以降は、民主化運動が盛んで、何度も民主化運動により軍主導の政権が倒された歴史を持っている。また南スーダンが２０１１年にスーダンから独立するまで、スーダンはアフリカ地域およびアラブ連盟諸国の中で最大の面積を誇る大国であった。

なぜ豊かな自然環境と人に恵まれたスーダンが、このような人道危機に瀕する国となってしまったのか？　また民主化運動の長い歴史を持つスーダンで、なぜ民主化プロセスは頓挫してしまったのか？　今後、スーダンおよびスーダンの人びとの未来に関わろうとされる皆さんのために、これまでの経緯を記録として残すこととしたい。

1　スーダンというアイデンティティとは何か?

はじめに、スーダンのアイデンティティについて触れることとする。

スーダンの人びとと接したことのある人であれば、おそらくほとんど誰もが、スーダン人の持つ物静かで、他人に優しい性格に居心地の良さを感じたことがあるだろう。私は、2021年2月から2023年4月まで、スーダンのハルツームに駐在したが、スーダン人の繊細で、かつ他人に思いやりのある性格に、深い居心地の良さを感じ、長くこの国に住みたいと思ってきた。

例えば、イード・アル・アドハーと呼ばれるイスラーム教の祝祭日には、羊や山羊を捌き、近所の貧しい人びとや他人にも振る舞われるが、スーダンの人びとは、このようなイスラームの教えを忠実に守り続けている。またこのような苦しい立場の人びとに施しを与える「喜捨」の精神は、日常生活にも浸透しており、この祝祭日に限らずとも、困っている人を進んで助けようとする文化が今も残っている。通りの様々な場所で水瓶が道路脇に置かれているが、これは、家の前を通る人びとが自由に水を飲めるよう、その住民が提供しているのである（写真1）。このような水瓶は、地方の村だけでなく、首都ハルツームの大通り沿いでも見ることができる。

スーダンは、歴史的に他民族に寛容な文化を継承してきた。スーダンの紅海の対岸にはサウジアラビアのメッカがある。イスラーム教徒はメッカ巡礼の旅を行うが、スーダンはこの巡礼ルー

写真１　通り沿いに置かれた水瓶

トの途上にある国であり、巡礼を行うイスラーム教徒は、スーダンの人びとから温かいもてなしを受けてきた。ナイジェリアのハウサ人は、ナイジェリアからメッカへの巡礼途上でスーダンに住み着いた民族である。スーダンの人びとは、ハウサ人を温かく受け入れ、これまで、少なくとも２０２１年10月の軍事クーデターまでは、対立することなく共存してきた。

　しかし、このような文化は、太古から不変だったかと言えば、必ずしもそうではない。現在、スーダンの国民の9割以上がイスラーム教徒であるが、スーダンの歴史を遡れば、スーダンでは、少なくとも5世紀頃から16世紀まではキリスト教のヌビア王国があり、イスラーム教が持ち込まれたのは16世紀以降だと考えられている。歴史的にスーダンは、イスラーム教よりキリスト教の影響下にあった期間の方が長いのである。

　スーダンが国として現在の形になったのは、２０１１年以降であり、それまで現在の南スーダンは、スーダンの一部であった。人口構成から見れば、現在のスーダンは、アラブ系のイスラーム教徒が多数派であるが、南スーダンは黒人系のキリスト教徒が多数派であり、２０１１年以前は、このような黒人系キリスト教徒も含めた人びとが、いわゆるスーダンを構成していたのである。

また、スーダン西部のダルフール地域には、1603年から1916年まで約300年にわたりダルフール・スルタン国という黒人のスルタンが統治するイスラーム教国があったが、1916年にイギリス・エジプトの植民地に併合され、1956年の独立後はスーダンの一地域となっている。

そもそもスーダンとは、アラビア語で「黒い人びとの住む土地」を指し、広義には西アフリカのセネガルあたりから、東アフリカにいたるまでの帯状の広いサヘル地域を指す言葉である。これはアラブの世界から見て、スーダンの人びとが、ブラック・アフリカのフロントラインに住む人びとを指すものであったことを示唆している。

すなわち、どの時代を起点とするかによって、スーダンの人びとの民族構成や宗教は大きく異なっており、スーダンとしてのアイデンティティも時代とともに変遷してきたと考えられる。

2　独立からバシール政権誕生まで（1956〜1989年）

スーダンは、1956年にイギリス・エジプトの共同統治体制から独立したが、スーダンの現在の形、アイデンティティの原型は、１９６９年にクーデターにより政権を奪取し、１９８５年までスーダンを統治したニメイリ政権の時代に作られたといえる。

独立以前、スーダンは、イギリスの了解の下、エジプトが実質的に支配する形で植民地支配を受けてきたが、エジプトにとって貧しいスーダンを維持するのは容易なことではなく、スーダンの独立要求の下、スーダンを手放す形で独立が達成された。その後１９６９年に軍事クーデターにより誕生したニメイリ政権は、16年の長期政権を維持する中で、西側諸国とも良好な関係を構築してきた。70年代にはオランダ、スイス、フランス等の国々と投資協定を締結し、１９７８年から79年までは、ニメイリ氏はアフリカ統一機構（ＯＡＵ）の議長も務めている。一方、広大な土地と多様な民族を抱える独立後のスーダンをまとめるのは容易なことではなく、ニメイリ政権時代を通じて、ナイル川流域に住むアラブ系民族が影響力を強め、またイスラーム主義化が進行する時代となった。

経済政策上は、ナイル川の豊かな水資源および肥沃な土壌を活用し、中東諸国への農産物輸出を目指す政策を取り、ナイル川流域の水利事業を強力に推進する政策を採ってきた。スーダンの農産物は、元々国内消費向けが中心であったが、農産物の輸出振興策に切り替えたことで、遊牧民等、農業従事者以外への農産物の供給が減ることとなった。植民地統治時代、スーダンは、南北で別の行政単位として統治されており、独立当初から南部地域、すなわち現在の南スーダンの地域の人びとは、開発から取り残されており、自治権を要求するアニャニャ抵抗運動（いわゆる第１次内戦）を行ってきた。ニメイリ政権下のナイル川流域を中心とした開発は、このような南部地域の人びとをはじめ、ナイル川流域から外れたスーダン東部、北東部、西部地域も含め、ナイル川流域とそれ以外の地域の開発格差を生む結果をもたらし、流域から外れた人びとの抵抗運動を生み出す要因となった。

加えて１９７０年代、スーダンは、水利事業の振興など、農産物の輸出振興に政策を切り替えたものの、農産物の国際価格の下落を受け、多くの対外債務を抱えることになり、国際通貨基金（ＩＭＦ）等の助言により構造調整政策を取り、緊縮財政を行った。１９８０年から85年にかけてスーダンの通貨は大きく下落し、経済が悪化し、ニメイリ政権に対する民衆の抗議行動が高まり、これが１９８５年にニメイリ氏が失脚する引き金となった。

宗教の影響に関して、ニメイリ氏は当初、社会主義政策を取り、イスラーム色は強くなかったが、経済政策の点で国民から非難を浴びる厳しい政策運営をする中で、ムスリム同胞団などイスラーム主義色が強いグループの影響力を受け、１９８３年にイスラーム法（Shalia Law）を国の政策として導入した。これはキリスト教徒など、イスラーム教徒以外の人びと、特に南部地域の人びとの反発を受け、第２次内戦を生むきっかけとなった。

このような状況下で、１９８５年、ニメイリ氏が米国に外遊中に軍事クーデターが発生し、ニメイリ政権は崩壊した。1986年にサディック・アル・マハディが首相に就任するが、脆弱な連立政権下で、政治運営は不安定となり、1989年再び軍事クーデターが発生し、バシール政権が誕生した。

3　バシール政権時代（1989〜2019年）

1989年の軍事クーデターにより政権の座についたオマール・アル・バシール氏は、2019年4月の民主革命で失脚するまで、30年におよぶ長期政権を維持してきた。この期間は、軍とイスラーム主義が強く結びつくことで、ナイル川流域のアラブ系主流派で農耕を主とする保守勢力が富を集積するとともに、地方への支配力拡張を進める一方、この流れに乗じて、アラブ系非主流派で遊牧を主に行ってきた民族を中心にした民兵組織ジャンジャウィード（「馬に乗った悪魔」を意味するとも言われている）、すなわち現在のRSFが、勢力を獲得する時代であった。

1989年の軍事クーデターは、イスラーム主義者のハッサン・アル・トラビと軍のバシール将軍によって行われたが、その後、バシール氏はトラビ氏を追放し、独裁体制を構築した。

バシール氏は、軍が運営する国営企業体を設立し、軍需品のみならず、農機等もこれらの企業体が販売する体制を構築した。この企業体が生み出す収入は軍が得る構造となっており、軍の貴重な収入源となった。当時、スーダンはアフリカで3位の武器輸出国となっている。

軍はまた、スーダンの南部（主に現在の南スーダンの領域内）等の地域で発見された石油資源やパイプラインの利権確保・保存のために、各地に展開された。保健や教育などの社会開発への対応は遅れたままで、ナイル川流域から外れた地域は開発から取り残された状態が続き、なおかつ石油利権の独占を進める体制に南部地域等、ナイル川流域から外れた地域の人びとは不満を蓄積し、これが政権に対する民主化運動を高める要因となった。南部地域問題は、南スーダン独立運動を高める結果となり、これが２０１１年の南スーダン独立に発展した。

一方、スーダン西部のダルフール地域では、１９５６年の独立時点では、アラブ系民族とアフリカ系民族が住み、相互の婚姻もあり両者のアイデンティティ上の境界は曖昧であったが、ニメイリ政権時代から進められてきたアラブ系民族の優遇政策や、１９８０年代の飢饉の影響で、ダルフール地域内での水や土地を巡る対立、抗争は激しくなっていた。バシール政権になってから、アラブ系民族によるアフリカ系民族を抑圧する政策はより鮮明となり、アフリカ系民族等による反政府組織の形成、ダルフールと国境を接するチャドやリビアからの武器、戦闘員の流入により、ダルフール内での対立はエスカレートした。バシール氏は、軍を投入するとともに、現場レベルではダルフールの民兵組織ジャンジャウィードを反政府グループの鎮圧に当たらせ、これが２００３年のダルフール虐殺に発展した。

バシール政権は、１９８９年のクーデターを共謀したトラビ氏が、アメリカ同時多発テロの首謀者のオサマ・ビン・ラディン氏をスーダンにかくまったため、西側諸国との関係は断絶し、経済制裁を受けることになったが、これにより西側諸国の監視の目が行き届かなくなり、バシール政権がより強固な集権体制を構築することにつながったと考えられる。ニメイリ政権時代から続く対外債務は大きく膨らんだが、債務返済要求に応じることなく放置し、一方、国内では石油の他、新たに発見された金の埋蔵により、資金源は豊富にあった。ガソリンや電力の他、パンにも補助金が付与され、国民は安価な価格で公共サービスを利用し、また商品を購入することができた。すなわち、教育や保健などの社会サービスは必ずしも十分な状況ではなかったものの、バシール政権下の独裁体制に疑問を挟まない限り、人びとは比較的安定した生活を営むことができたのである。

バシール政権時代、民主化運動は２０１１年の南スーダンの独立とともに、その特徴が大きく変化することとなる。南スーダンの独立以前は、開発から取り残されたスーダン南部地域の政府に対する不満が、主な民主化運動の原動力だったが、南スーダンの独立とともに、この要因がなくなり、その後は、バシール政権下での汚職や独裁体制に対する不満と、南スーダン独立後、スーダンの領域に残った南部地域やダルフール、東部地域等の人びとの不満が、民主化運動の原動力となった。

　バシール政権時代は、30年を経る中で、ほぼ無名だったダルフールの一民兵組織ジャンジャウィードを、スーダンで無視することができない準軍事組織ＲＳＦに転換させるプロセスであった。バシール氏は、ダルフールで激しくなる対立を制圧するために、ジャンジャウィードを利用した。その後バシール氏は、ジャンジャウィードの要望に応じ、ハルツームに拠点を持つことを認め、また２０１３年にはジャンジャウィードを即応支援部隊 Rapid Support Force（ＲＳＦ）と名称を変更し、政府の軍の機構の一部に取り込んだ。２０１１年の南スーダンの独立は、国際的に孤立を深めるバシール氏が国際関係の改善も意図して応じたと言われているが、南スーダンの独立は、南スーダン領域に多く存在する石油利権を失うことになるため、国内の保守勢力からの反発もあった。軍によるクーデターが繰り返し発生するスーダンでは、軍出身のバシール氏自身も軍によるクーデターを恐れ、軍の暴走を抑止する装置としてＲＳＦを創設したのである。

　またバシール氏はＲＳＦを、リビア内戦やイエメン内戦に戦闘員として送っている。イエメン内戦では、イエメン政府を支援するサウジアラビアとアラブ首長国連邦（ＵＡＥ）の側につき、ＲＳＦトップのモハメッド・ハムダン・ダガロ（通称ヘメティ）氏がサウジアラビアやＵＡＥの皇太子など政権中枢の関係者と関係構築する機会を作り、ＲＳＦやバシール政権に多額の資金が流れるルートを構築することとなった。

ＲＳＦはダルフールでの紛争以降、ダルフールの各地で村を焼き、人びとを追い出し、土地を接収しているが、ダルフールでは多くの金が埋蔵されており、ＲＳＦは金を採掘し、密輸するシステムを構築し、これがＲＳＦの大きな資金源となっている。南スーダンの独立により、スーダンでは石油の発掘から得る利益が大きく減少することとなったため、金の産出と密輸によりＲＳＦは資金的にも大きな影響力を及ぼす勢力となった。

バシール氏は、２０１０年代後半、行き詰まる経済政策と独占的な政治運営のため、国民の不満が高まり、２０１９年４月の民主革命の下、失脚した。軍とＲＳＦは、膨れ上がる民主化運動の勢いに抗することができず、バシール氏に退位を勧めた。30年にわたり、バシール氏自らが作り育てた強固な軍組織とＲＳＦが、その育ての親であるバシール氏の政治生命を絶ったのである。

４　民主化移行政権（２０１９年４月〜２０２１年10月）

２０１９年４月のバシール氏の退位から、数か月の紆余《うよ》曲折を経て、２０１９年８月、国の最高意思決定機関として主権評議会（Sovereign Council）が設立され、政府は民主派のアブダッラー・ハムドゥーク氏を首相とする民主化移行体制を構築した。主権評議会は民主政権が成立するまでのロードマップとして、２０２１年11月までの前半を軍の最高司令官アブデル・ファッタ・アル・ブルハン氏が議長となり、後半は民主派が議長職を務めることで合意された。

この時代は、民主革命の実現とともに、西側諸国からの支援が再開され、民主社会の実現のために様々な改革が進められた時期である。首相の他、各省庁の大臣等の主要ポストは民主派政党の連合組織ＦＦＣ（Force of Freedom and Change）を構成する各派に割り当てられ、権力解体委員会が汚職に関わった人びとを公職から追放した。この結果、大臣クラスのみならず、各省庁の局長や課長など実務レベルでも人事刷新が進められた。

また、６００億ドルにまで膨れ上がった対外債務の解消が検討され、様々な経済改革が進められた。固定され闇取り引きが横行していた外国為替は、公定レートを市場実態に合わせて変動させる自由変動制に変更され、赤字経営だった財政を立て直すべく、補助金をカットし、緊縮財政政策が取られた。通貨価値は8分の1に切り下がり、ガソリン、電気や、パンなどの生活物資の価格が大幅に値上がりした。２０２１年のインフレ率は対前年比３８０％を超えた。

また行政運営に関わったことがない民主派系の人びとが行政の幹部となり、さらに緊縮財政政策が実施された結果、各省庁への予算配分や給与等の支払いは滞りがちとなり、医療、教育などの政府の公共サービスは混乱し、サービスの機能低下が進行した。

国民の不満は、汚職等により追放された旧政権派の人びとだけではなく、社会経済の混乱、悪化とともに、一般の民衆レベルでも広がり、２０２１年7月頃には、民衆のデモは、軍等に対してだけではなく、民主化移行政権の政治・行政運営にも向けられるようになった。このような民衆のデモに加え、公務員等公共サービスに関わる人びとは、給与の支払いと賃金の引き上げを求めて、デモやストライキを行うようになった。

２０２１年10月初めには、ＦＦＣの一部のグループが、ＦＦＣ主流派による政治運営はＦＦＣ内の特定の党派のみを優遇していると不満を表明し、ＦＦＣから分裂し、ＦＦＣ２を設立し、民主派の政治レベルでも不協和音が高まる状態となった。

5　クーデターの発生から軍事衝突まで（２０２１年10月～２０２３年4月）

２０２１年10月25日、このような社会情勢に乗じて、軍部によるクーデターが発生した。ハムドック首相をはじめ、民主派の主要幹部は拘束、もしくは自宅軟禁の状態となり、また一部の幹部は、拘束を恐れて国外に避難した。

クーデターの表向きの理由は、混乱した社会経済の立て直しであったが、実質的な理由は、翌11月に迫った主権評議会の議長ポストの軍部から民主派への交代であったと考えられる。民主化移行政権下では、困難、停滞はあったものの、先進国のドナー、国連、世界銀行などの支援を受けながら、民主化政権の樹立に向け様々な改革が進行していた。密輸により輸出されていた金の政府による管理や、透明な税関行政も検討され、また軍が運営していた国営企業体の見直しも改革の視野に入っていた。これらの改革が進行すれば、軍もＲＳＦも、これまで運営してきた財源を失い、弱体化することが懸念された。

また国際犯罪裁判所による過去の戦争犯罪の追及も進められており、ダルフール虐殺をはじめ、様々な弾圧に関わってきたＲＳＦも、また国軍も、西側諸国をはじめとした国際社会のスーダンへの関与が深まる状況に、不安を抱えていたものと思われる。

クーデター発生以降、民主派によるデモ等の抗議行動は盛んに行われるようになったが、政治家の集まりであるＦＦＣは存在感がなくなり、抗議行動の主体は、コミュニティを単位として形成される抵抗委員会（Resistance Committee）が中心となった。しかしながら、非暴力を貫く抵抗委員会のデモグループと軍部との武力の差は歴然としており、また抵抗委員会にはクーデター以降の状況を打破するための具体的な戦略、戦術がなく、クーデター以降の情勢を変えるにはいたらなかった。

西側諸国は、クーデターの実施に非難声明を出すとともに、民主化移行政権の再開に向けた調整を進めてきたが、成果を出すまでにはいたらず、また新規の開発援助を停止した。

かかる膠着状態は1年以上続いたが、その間、行政運営の経験がない軍部の下、社会経済状態は大きく悪化し、停滞状態が続いた。

米国や英国等の西側諸国や国連は、サウジアラビアやＵＡＥなど、中東の主要国も巻き込み、事態の打開に取り組んできた。これらの外部の調整の下、２０２２年12月には、民主化移行政権再開に向けた枠組み合意が、軍部と民主派間で締結された。この枠組み合意では、民主化政権再樹立に向けた５つの前提条件が提示され、それらの前提条件の解消が２０２３年１月以降、順次検討された。この５つの前提条件とは、「権力解体委員会の復活」「ジュバ和平合意の履行」「スーダン東部問題の解決」「移行期正義」「治安部門改革」である。いずれも、スーダンの国内対立の根源的な課題であり、解決はなかなか進まないものと思われたが、このような予想に反して、これらの課題解決は急速な勢いで進み、３月末の時点で残るは「治安部門改革」のみとなった。４月初めには、この問題解消の予定日や、民主化移行政権再樹立の予定日も示され、民主化移行政権再開への期待は大きく膨らむ状況であった。

６　軍事衝突の発生から現在まで（２０２３年４月～２０２４年１月）

このような状況下で、２０２３年４月15日、軍とＲＳＦによる軍事衝突が発生した。両者は、同じ軍部に所属し、相互に緊張感が高まることはあっても、武力を使った交戦に発展することはこれまでなかった。交戦すれば取り返しのつかない事態になることは、両者ともわかっていたからである。

そのような状況であるにもかかわらず、武力衝突にいたったのは、民主化移行政権再樹立に向けた「治安部門改革」が、両者にとって、組織の存亡をかけた重要な課題であったからである。治安部門改革とは、具体的には軍とＲＳＦの統合問題を指す。軍は「統合を2年以内に実現する」と発表したのに対し、ＲＳＦは「統合には10年かかる」として譲らなかった。

両者の戦闘は、４月15日の未明、ブルハン氏の私邸をＲＳＦが急襲するとともに、ハルツーム国際空港などの主要拠点を制圧することで始まった。朝から空軍機がハルツーム市内を低空で飛行し、空港等への爆撃を行い、市内でもいくつかの拠点で交戦が行われた。

当初、両者の交戦は、まもなく軍がＲＳＦを制圧することで収束するものと思われた。戦闘機や戦車等の装備と訓練された兵士を抱える軍と、ピックアップトラックに小火器を搭載した車両を基本ユニットとし、またダルフールの他、周辺諸国から若者をリクルートして戦闘員にしているＲＳＦとでは、軍事力に圧倒的な差異があったからである。

しかしながら、戦闘は、２０２４年1月現在、ＲＳＦ優位で展開している。当初の戦闘は、首都ハルツームの軍事拠点や政府の主要施設、およびＲＳＦのバックヤードであるダルフール地方で行われた。その後、ＲＳＦは、ダルフールとハルツームを結ぶルート上の主要都市や、２０２３年12月にはスーダンの穀倉地帯であるゲジラ州の州都ワド・メダニにも侵攻し、国の南

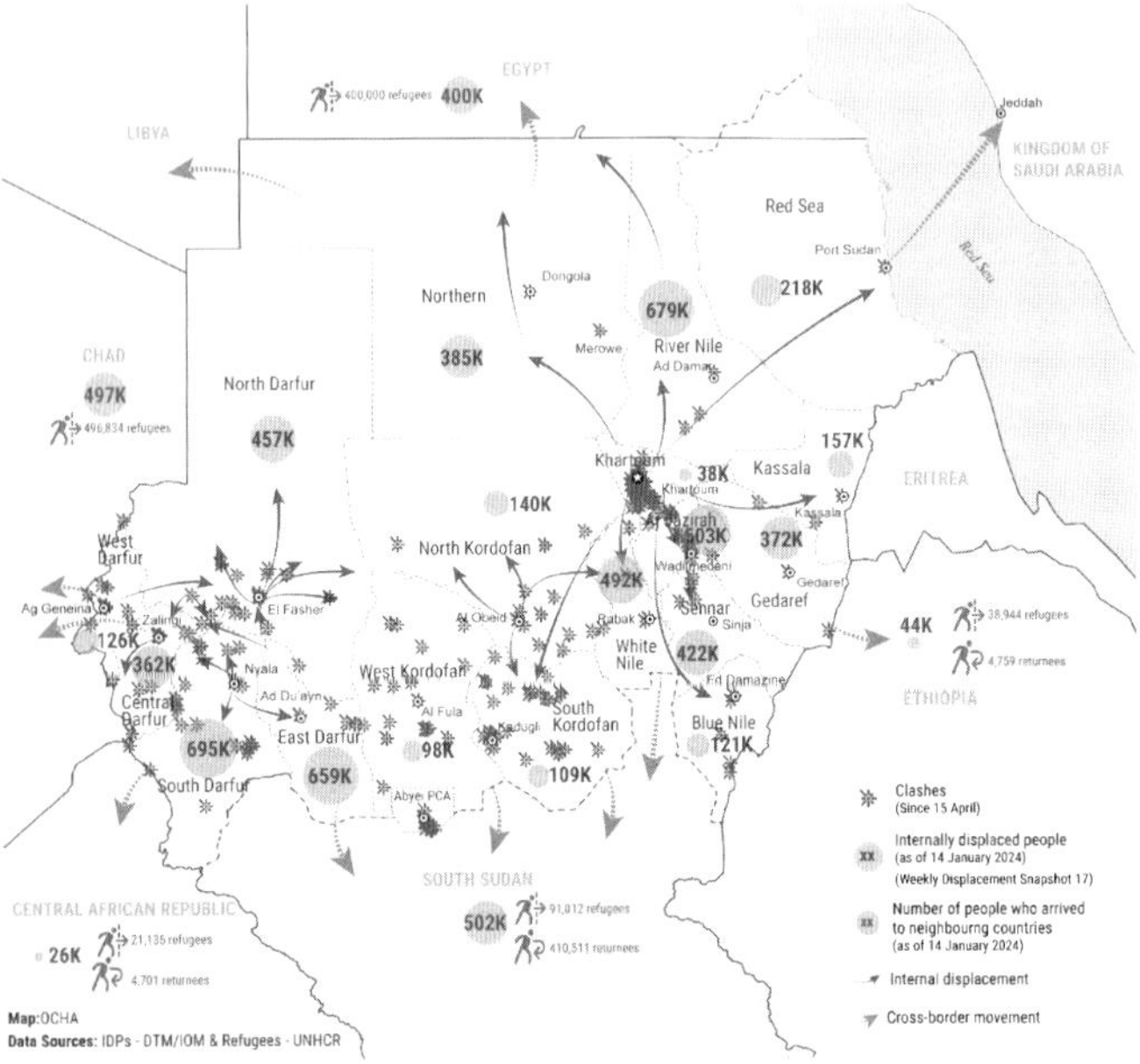

図１　スーダン国内における戦闘の状況（２０２４年1月21日現在）
出典：国連ＯＣＨＡ

西部を中心に大きく支配領域を拡大している（図1）。軍最高司令官のブルハン氏は、8月にハルツームから紅海州の州都ポート・スーダンに居所を移した。

　ＲＳＦが、かくも優勢に戦況を展開した背景には、金の採掘と密輸ビジネスによる豊富な資金力、イエメン内戦やリビア内戦への参戦による豊富な実戦経験があると考えられる。国連安全保障理事会の専門家が作成した報告書では、ＵＡＥはＲＳＦに対し２０２３年４月の軍事衝突以降も武器輸出を継続していると指摘している。

　ＲＳＦトップのヘメティ氏は、

外交的にもプレゼンスを高めている。ヘメティ氏は、２０２４年１月１日、ハムドック元首相が長を務める市民連合組織タカダム（Taqaddum）とエチオピアのアジスアベバで合意文書を交わした。東アフリカ諸国で形成される地域機構の政府間開発機構（ＩＧＡＤ）は、１月18日にウガンダで、スーダン問題の解決を進める特別サミットを開催し、ブルハン国軍最高司令官とヘメティ氏を招待したが、ブルハン氏は欠席し、結果としてヘメティ氏があたかもスーダンの国家元首であるかのように、他のアフリカ諸国の元首や、アネット・ウェバーＥＵ「アフリカの角」特使らと会談を行うこととなった。ヘメティ氏は２０２３年12月にはルワンダも訪問し、関係構築を進めている。

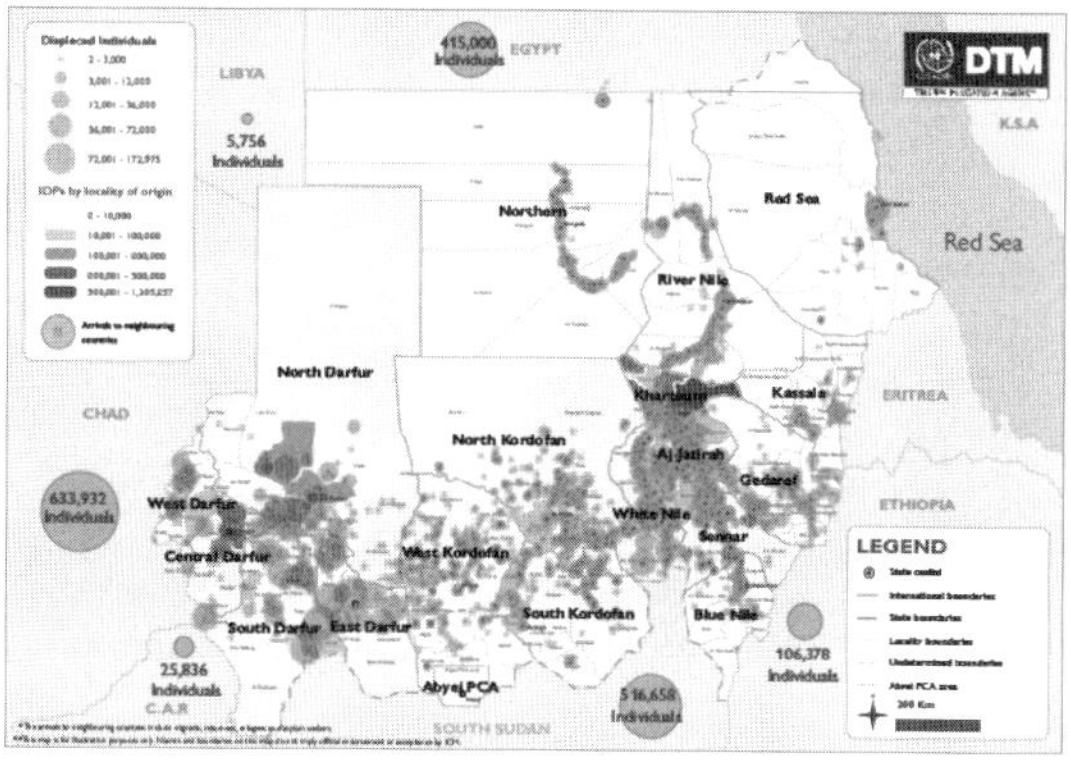

図２　避難民の状況（2024年1月23日現在）
出典：国連ＩＯＭ

　２０２３年４月以降、スーダンでは深刻な人道危機が発生している。２０２４年１月現在、国外に１７２万人、国内では６０９万人が避難している（図２）。このうち首都を抱えるハルツーム州だけで

350万人が避難している。また、人口の半分以上に相当する2480万人が人道支援を必要とする状況に置かれているが、戦闘が継続する中、十分な人道支援が提供できていない。国連によれば、2024年に必要とされる人道支援計画に対する資金の充足率は1月24日現在、3・1％である。

7　今後のスーダンのために

本章では、スーダンのアイデンティティを底層に置きながら、植民地からの独立以降、どのように政治プロセスが進んできたのか、また民主化運動と開発プロセスはどのように展開したのかについて述べてきた。

これまでの流れを振り返ると、その政治・開発プロセスは、元来は「黒い人びとの住む土地」を指すスーダンという地において、独立以降、ナイル川流域のアラブ系民族が中心になって、イスラーム主義の影響力を拡張するとともに、スーダン全土にわたり彼らの支配力を伸張するプロセスでもあった。一方、この主流系アラブとは異なるマイノリティのアラブ民族のヘメティ氏が、ナイル川流域の主流系アラブの力を利用しながら影響力を高め、ついには主流系アラブの既得権益を呑み込む勢いにまで伸張するプロセスであった。この結果、独立当初は、アラブ系もアフリカ系も共存する多様な社会であったスーダンから南スーダンが分離独立し、20世紀初頭まで独立国であったダルフールの人びとが、スーダンに併合された後、ナイル川流域の主流派による支配を受け、またジャンジャウィードによる虐殺を経て、避難生活を余儀なくされる困窮した状況に追いやられることとなった。

民主化プロセスは、クーデターにより作られた独裁的な政権から民主的な政治運営と、公正な開発政策の実施を求める運動であったが、時代の流れとともに主要なアクターが変わり、アジェンダが移り変わっていく状況であった。２０２１年のクーデター、および２０２３年の軍事衝突を経て、民主化の勢いは大きく減退することとなり、多くの人びとがそもそもの生活基盤を失う中、今後どのように展開することができるのかは予断を許さない状況である。

武力による支配は、新たな武力による支配を呼び込むリスクを絶えず抱え、安定と発展を長く持続させるには限界がある。石油や金などの資源は有限であり、保健、教育などの社会サービスが拡充されない限り、人びとの生活は豊かにはなれない。それは、軍事支配者の子孫であっても同様である。

スーダンの豊かさの源泉は、多様な人びとを包含するその多様性にあった。天然資源は有限なのに対し、人的資源は、教育などにより次世代に投資を行い、また再生産を行うことでさらに豊かな社会を築くことが可能である。多様性のある社会は、元来、様々な危機を乗り越える強靱性を持っている。しかし、スーダンの現代の歴史を振り返ると、一部の支配層による富の独占システムが、かつては存在した多様な人びとを包含する豊かな社会を壊し、領土と天然資源を失い、自身をも生存、人道の危機に追いやることになったのである。立ち返るべきポイントはここにある。多様な人びとを受け入れ、すべての人びとが開発の利益を享受する社会を再構築することが、スーダンの未来と発展のために必要である。

（本稿で示された見解は筆者個人のものであり、筆者の所属組織の公式見解ではない。）

第4章　民主主義とスーダン市民

堀　潤

1　はじめに

アフリカ・スーダン。2023年4月、突然の軍事衝突で情勢は一気に悪化し、内戦に。国内避難民620万人以上、国外避難民も200万人に迫る勢いで混乱が混迷にかわり、先行きが見通せない混沌がうまれている。

気候変動や紛争で、今回の衝突以前からアフリカ各地では食糧危機も深刻だった。サヘル地域は武装勢力結集の地になり、大国の戦争資金の供給先になっているとさえ言われていた。スーダンが壊れると、アフリカが壊れる。アフリカが壊れると世界の分断はさらに深まる。

「どうか目を逸らさないで欲しい」と電話口で聞いたスーダン人の声は切迫していた。日本への退避を迫られたUNWFP（国連世界食糧計画）職員の並木愛さんは同僚のスーダン人から最後にこんな言葉をかけられた。

「こんな国になってしまってごめんね」と。

積み重ねてきたものが壊れていくのを実感した。唇を噛んで悔しがっていた。

それから1か月。日本に帰国した並木さんは再びアフリカに戻り活動を再開した。「私はスーダンの皆さんのプライドを支えるために戻るのです」。

わたしの心も常にスーダンにある。市民とつながり、現地の大地を踏みしめた経験がある。「民主主義とは何か？」スーダン市民への問いへの答えにどれも心が揺さぶられた。ジャーナリストとしての活動で最も影響を受けた地域と言っても過言ではない。

今、そのスーダンが苦境に立たされている。

2　青の空でつながっている

2019年6月だった。わたしのSNSのタイムラインに、プロフィールアイコンを青一色に変更したアカウントがポツリポツリと並ぶようになっていた。

その1つひとつのメッセージを確認すると、「スーダンへの祈りを」「スーダンを救え」などと書かれたハッシュタグが添えられ、スーダン市民に対しての連帯を表明するアクションだとわかった。

「スーダンの空は青い。この青い空でつながって欲しい」そんなメッセージが印象に残っている。ハッシュタグをたどっていくと、現地では虐殺行為があったと書かれていた。

その前年12月、物価上昇をきっかけに首都ハルツームでは市民が路上に出て政府に対する抗議行動を開始した。

30年以上続くバシール政権下では激しいインフレが市民の暮らしを襲った。パンも高騰、薬も高騰、バスに乗るのだって憚《はばか》られた。銀行には長蛇の列で、現金を引き出すことすらままならないという声も。市民生活は混乱した。

もう我慢はできないと人びとは沈黙を破って、路上でそれぞれが声を上げ始めた。

わたしの手元には、ちょうどその日の夜の映像がある。

ハルツーム市内でIT関連企業を興《おこ》したばかりの男性が当時の映像データをコピーして渡してくれた。彼が初めて路上に出て抗議行動に参加した夜、車で移動しながらスマートフォンで撮影したものだった。

街灯は消え、真っ暗な道路をゆっくり進んでいくと、だんだんと人びとの声が重なり合い、やがて、それは指笛まじりのシュプレヒコールに変わっていった。

「自由、平和、正義を。自由、平和、正義を。」

人びとは喉から振り絞るように、大きな声で何度も何度もこのフレーズを繰り返し、バシール政権退陣を迫っていた。

ヘッドライトをハイビームにして目の前を照らすと、そこには見たことがないほどの群衆の姿が浮かび上がった。スーダン市民革命の始まりの日だった。

運動は徹底的に平和的に行われた。当時デモに参加した現地在住の日本人にのちにインタビューをして教えてもらった。絶対にナイフや鉄棒など武器になるようなものは持ち込ませない。デモ参加者同士が互いに確認しあって非暴力の運動を貫こうとした。「武器を持ったら内戦になる。内戦になれば世界中から武装勢力が集まってくる。そうなってしまったら「アラブの春」でのシリアのような惨状が待っている。だから私たちは武器は持たない。私たちはシリアにはならない」。デモ参加者で、抗議行動の様子をＹｏｕＴｕｂｅを使って発信していた若者が当時の心境を語ってくれた。

バシール政権は軍を派遣し市民の抗議行動に対処したが、４月、その軍がクーデターを起こして、大統領は辞任に追い込まれた。新たに暫定軍事政権が発足したが、市民はこれに抵抗。「軍事評議会は民政に権限を引き渡すべきだ」と要求し、完全な民主主義による政府を望んだ市民た

写真１　抗議活動で亡くなった息子の写真を見つめる母

ちが、首都ハルツームにある軍本部前での座り込みを続けた。

暫定政府はそこに、かつてバシール氏が民兵を集めて作った軍事組織「ＲＳＦ（即応支援部隊）」などを投入し、座り込みを続ける民間人に攻撃を加え、１００人以上が殺害された（写真1）。現地メディアは何人もの遺体が拘束された状態でナイル川に放り込まれていると報じた。女性たちが次々とレイプもされているという非道の限りが世界に伝えられた。

そもそも、ＲＳＦは軍がクーデターを起こしても、それを迎え撃てるよう想定された「第2の軍隊」だった。しかし、バシール辞任後は国軍と手を組み自らが権力を手に入れた。

ＲＳＦの源流は西部ダルフール地方で住民弾圧を担った民兵組織「ジャンジャウィード」だ。「ＳＬＡ（スーダン解放軍）」など反政府勢力に対して、軍の先兵となってダルフールの町や村を破壊して回った。

「21世紀最初の大虐殺」と呼ばれる、恐ろしい残虐行為が各地で繰り広げられた。２００３年からの紛争で40万人以上の人びとが殺害されたと言われている。正確な数は把握できていない。そ

写真２
日本国際ボランティアセンター今中さん

の「ジャンジャウィード」を源流にもつＲＳＦが次々と市民を拘束し、殺害していった。それでも、平和的抗議行動を貫き、抵抗を続けた。停電によって電話やインターネットの回線障害が続いていたが、それでもスーダン市民は世界へのＳＯＳを発信し続けていた。わたしが青一色のアイコンを見かけるようになったのは、ちょうどこの頃だった。市民は諦めてはいなかった。「#BlueForSudan」。このハッシュタグが世界のインフルエンサーたちをつないでいった。

なぜ青だったのか。

ＲＳＦによって殺害された26歳の男性、ムハンマド・ハーシム・マッタルさんは、ロンドンにあるブルネル大学の卒業生だった。彼は殺害される1か月前、「空を青く塗るよ」と投稿して、アイコンを青く染めていた。6月3日最後の投稿は「文明とは行為である」という一文だった。世界の空を青く塗っていく。インフルエンサーたちが彼の投稿を広げていった。そのリレーはわたしの元にも届き、わたしも誰かにこのスーダンからのＳＯＳを伝えるべきだと強く感じ、テレビ、ラジオ、ウェブ、口コミ、講演、あらゆる手段を講じて発信を開始した。

わたしは必ずこの目でスーダンの空が青く塗られる未来を見ようと決意した。直接見上げてみたかった。ＳＮＳを通じて届くスーダンの空は黒煙に覆われていた。人びとは陽が落ちた暗闇の中で声を上げていた。民主主義を求めＳＯＳを出す人びとの一助になろうと努力を続けた。わたしは、スーダンへの渡航を模索し始めた。

　そうした中で、日本のＮＧＯ、日本国際ボランティアセンターにつながった。現地スーダン事務所代表、今中航さん（写真２）。彼との出会いがわたしにとって、スーダンを特別な国にしてくれた。

３　南コルドファンで活動する日本のＮＧＯがつないでくれた

アジア、中東、アフリカ各地での人道支援を続ける日本のＮＧＯ、ＪＶＣ（日本国際ボランティアセンター）。40年以上活動を続けてきた老舗《しにせ》のＮＧＯで、内戦が続くスーダンや南スーダンでの活動を続ける貴重な存在だ（写真３）。

　ＪＶＣは首都ハルツームと南コルドファン州カドグリに事務所を構え、市民の教育支援などを続けてきた。

　スーダンでは、２０１１年に南コルドファン州で発生した紛争により、

写真３
シャイール小学校で地域住民の話を聞く今中さん

人びとが政府側と反政府側それぞれの支配地域に分断された。ＪＶＣによると、前者はスーダン国内で避難民となった人びと、後者の中には国境を越えて南スーダンに逃れ難民キャンプで暮らす人びとが含まれている。ＪＶＣは、ローカルのスタッフと協力をしながら、紛争後のコミュニティ再生を見据え、給水施設や学校などの生活インフラの再建や子どもたちの教育のサポートなどを行ってきた。わたしとＪＶＣのつながりもこの地域が深めてくれた。

２０１7年2月、日本国内の政治は南スーダンにＰＫＯで派遣した自衛隊の「日報問題」で揺れていた。陸上自衛隊が当初「廃棄済み」とした日報のデータが後に見つかり、一部が黒塗りで開示された。この日報には、陸上自衛隊が活動する首都ジュバで２０１６年7月に「戦闘が生起した」という記載がある。これに関して野党は、ＰＫＯ参加の前提となる「紛争当事者間の停戦合意」がすでに崩れているのではないか、と指摘。当時の稲田防衛相は「法的な意味の「戦闘」ではなく、「武力衝突」だ」と説明した。

戦闘なのか、それとも衝突なのか。国会でのこうした議論に対し「言葉遊びはやめて欲しい、現場の実態を知って欲しい」と参考人として招致された国会で証言したのが、現在のＪＶＣの代表で、当時、人道支援・平和構築グループマネージャーの今井高樹さんだった。

今井さんは、２００７年にスーダン南部自治領のジュバに着任して以降、10年以上現地に駐在して、スーダンと独立後の南スーダンで支援活動を続けてきた。

ジュバでは２０１３年12月から内戦が続いていた。今井さんが支援をする住民たちは皆、過酷な環境からの避難民たちだった。ジュバから１００キロ程離れた村から避難してきた女性は今井さんにこう証言した。「村の中では子どもたちがまるで鶏を殺すようにどんどん殺されていた。武装した政府軍や民兵、反政府勢力、武装勢力などが村々を襲撃し、子どもやお年寄りを無差別に殺害し、家には火をつけ、女性はレイプし殺害するという行為が行われていた」。今井さんをはじめＪＶＣでは、家を追われ、地域を追われ、難民として避難生活を余儀なくされてきた人たちに、食料、医薬品、日用品など、暮らしを続けるのに最低限必要なものをサポートし続けていた。

現地では、戦闘が激化しては停戦にいたり、停戦が破られては再び戦闘が始まるという繰り返し。緊張が高まるたびに、今井さんに衛星電話をつないで現地の状況を伝えてもらっていた。

そんな今井さんやＪＶＣの皆さんとのつながりが、わたしのスーダン渡航への道をひらいてくれた。

２０１９年8月、暫定軍事評議会と自由・変革同盟は3年3か月間の暫定政権で共同統治を行い、２０２２年に選挙を実施することで最終合意した。暫定憲法の調印が行われ、新たな統治機構・最高評議会が発足、ハムドゥーク首相のもと新政権が発足した。混乱していたスーダンに、ようやく民主化への足音が聞こえ始めていた。

ダルフールや南コルドファンなど、地域で続いていた内戦も一服の落ち着きを見せ、ＪＶＣの活動域、カドグリでもいよいよ、国の未来をつくるための子どもたちへの教育支援が始まろうとしていた。

２０１９年12月末、ＪＶＣを頼って単身、スーダンに向かった。渡航の３週間前、外務省の担当者から急に携帯に電話がかかってきた。「堀さんはスーダンへの渡航を計画されていますよね？　外務省としては、渡航の中止を勧告している地域ですので、控えて下さいということを申し上げるためにお電話しました」。

担当者は電話口で低いトーンで淡々と言葉を重ねていた。わたしはＹＥＳともＮＯとも言わず「計画段階なので」と答え、電話を切った。

ハルツームに到着し、ＪＶＣの事業地域、南コルドファン州カドグリを訪問するために深夜、バスセンターに向かった。南スーダンとの国境に面した辺境の地。

年末を控え帰省もあるのだろうか。大きな荷物をいくつも抱えた人たちで乗り場はどこもごった返していた。何十台ものバスがあちらこちらに停車していて、一体どのバスがどこへ行くのかわからなかった。

ハルツームで迎えてくれたＪＶＣの山本職員とドライバーさんが、すれ違う人たちや運転手たちに確認をとってくれて、なんとか発車10分前にカドグリ行きのバスを見つけることができた。

写真４　車中から見た、通りを歩く少女

本当だったら、ハルツームから国連機関の飛行機に乗って、空路で向かう予定だった。しかし、飛行機がキャンセルになり、タイトなスケジュールを組んでいたわたしは陸路で向かわざるを得なかった。「危険だからバスには乗ってはいけない」とアドバイスしてくれる人もいたが、それは杞憂だった。バスは満席だったが、珍しく外国人が一人で乗っているからか、同乗するスーダン人の皆さんが気さくに色々と話しかけてくれた。「どこへ行くのか？」「カドグリに必ず向かうから大丈夫だ」「トイレの休憩だから行った方がいい」「日本人か。ようこそスーダンへ」。約12時間の道のりは、今振り返ってみてもあっという間だった。乾いた大地をどこまでも走った。それとは裏腹に車内の人びとには人情があった。「タマーム！」の一語が言えれば、お互い笑顔でサムアップポーズで打ち解けることができた。

移動中、何度か電話がかかってきた。日本大使館からだった。「無事でしょうか？　安否確認のための電話です。定期的に連絡を入れさせていただきます。無事を願っています」と、見守ってくれていた。

午後3時頃、車輪は減速してバス停が近づいていることを教えてくれた（写真4）。運転手さんがこちらをバックミラーで見ながら、身振り手振りで何かを言っている。聞き取れなかったが、隣の人が教えてくれた。「カドグリにつくぞ！」。窓の外を見ると、手を振って到着を待ち構えてくれている日本人の姿が目に飛び込んできた。ポロシャツ姿でリュックサックを背負ってこちらに手を振ってくれている。JVCの今中航さんだった。慌てて荷物をまとめて、いよいよバスを降りた。今中さんが背負っている空はどこまでも広く、どこまでも高く、そしてどこまでも青かった。多くの犠牲者を出しながらも、必ず平和的な抗議行動で民主主義を手に入れる。そのために「空を青く塗ってやる」。彼らの思いが実現したのだと思うと涙が出そうになった。空は確かに青かった。

今中さんは、早速、地域の学校を案内してくれた。JVCが新たに始める補修校の説明会がまもなく始まるというのだ。

普段は親の手伝いなどもあって学校に通うことができない子どもたち。ましてや内戦が続いていて、仕事がなかったとしても、とても安心して学びの場所に通うことなんてできない子どもたちばかりだった。当然、その親たちも学校に通った経験のない人たちばかりだ。

校舎の前、校庭の一部に椅子をぐるりと並べて、即席の説明会場が出来上がった。地域の長老が現れると、今中さんが流暢なアラビア語で説明をし始めていた。

今中さんは、学生時代、イエメンに留学していた。アラビア語を学び、神秘的な街並みや風習が残るイエメンに愛着を持った。しかし、その後、イエメンでは深刻な内戦が勃発。大国同士、周辺のアラブ諸国が間接的にそれぞれの陣営を支持し、やがて内戦は泥沼化。深刻な人道危機を迎えるほど、戦闘は熾烈なものだった。「忘れられた紛争」と呼ばれ、世界からの目も、世界への発信も決して十分だと言える環境ではなかった。

イエメンからも帰国を迫られた今中さんは、友人たちに、大切な人たちに、いつか彼らに会うためにこの国に戻りたい、そう強く思うようになった。

一度は就職した日本の大手インフラ企業を退職、人道支援の現場で活動を続け、その時を待つことにした。今中さんは単身、エジプトにわたり、やがてＪＶＣと出会ってスーダンでの勤務が始まった。

イエメンでの内戦では、スーダンから多くの若者たちが兵士としても送り込まれていた。ハルツーム市内にはイエメンからの留学生たちの姿も目立つ。

今中さんが献身的にスーダンの子どもたちの未来を創造するための支援に取り組むその視線の先には、紅海を挟んだ対岸に位置するイエメンを感じさせた。

写真５　村人の出迎え

そんな今中さんに同行して、わたしは南コルドファン州各地の活動地を訪ねた。

カドグリから車で3時間。悪路に揺られたどり着いたのは、ハムラという村。車窓からの景色は一変し、砂埃舞う荒地の中に現れた集落には、枯れ木を集めて作った簡素な家々が立ち並んでいた。

今中さんが車を降りて、集まっていた男性たちに挨拶をすると、出迎えてくれた長老が「タマーム！　タマーム！」と何度も指を立てて、今中さんを包み込むようにしてハグをした。「わざわざ日本から来てくれたのか？」とカメラを構える私のことも大いに歓迎してくれた（写真5）。

その周囲では迷彩服に銃を構えた男性たちが何人もその様子を見守っていた（写真6）。

ハムラは政府側、反政府側それぞれのボーダーに面した地域で、村を一歩出ると地雷が敷設されているところもある。水の確保が困難で、村の子どもたちが左右にポリタンクをぶら下げたロバに跨り、水源と村とを往復している。飲み水だけではなく、食料を育てるためにもその需要は計り知れない。

水があれば農業ができる。農業があれば、収入が得られる。収入が得られれば雇用がうまれ、そして農地の開拓が進む。乾季は日照りで地面はひび割れ、まるで岩のようだ（写真７）。雨季は水捌《は》けに悩みぬかるんでしまって手押し車の車輪さえ前に進めない。過酷な環境の中、全ての支

写真６　迷彩服の男たち

写真７　ひび割れた岩のような大地

写真８　トマトの恵み

援を待っているのがハムラだった。

今中さんたちは、日本のＯＤＡ事業の一環として、こうした辺境の地に地下から水を汲《く》み上げるハンドポンプを設置して回っていた。２メートルほど掘り進めると水が湧き出る箇所がある。そうした箇所を見つけては、１つひとつ設置して回っていた。

集落の中に、給水施設をつくる理由は水の確保だけではない。これまで反政府、政府側、双方に分かれて対峙していた人たちが、水を共同管理することで、調和を生み出すきっかけになるというのだ。傷んでしまった地域コミュニティの再構築もＪＶＣの貴重な活動領域である。

ハムラの村内にある、建造中のハンドポンプを見せてもらった。まだコンクリートの受け皿は生乾きだったが、ポンプを手で上下に動かすとあっという間に水が出てきた。長老たちが、その水をなん度もなん度も手で掬っては見せてくれた。命の水。そして、平和の水。子どもたちを危険に晒すことなく、豊かさを手に入れるための希望の水。こうした水を活用した野菜畑の開墾も始まっていた。ほんの少し丘を登ると、そこには緑が覆っていた。「これを見てくれ！」と農園主の男性が、両手にもぎったばかりのトマトを持って見せてくれた（写真８）。乾いた大地に、命が育まれていた。こうした１つひとつの積み重ねが、地域に平和と安定をもたらすのだと、その活動の意義をトマトと共に噛み締めた。

一方、ハムラは急激な人口増加が課題だった。内戦が停戦に変わると、帰還者が増える。安全を確保するため、村を出て行った家族たちが再び故郷に戻ってくるからだ。また、意図せず村に帰れなくなった人たちもいる。戦闘が始まり、ボーダーが設置され、それ以来往来ができなくなるケースだ。

現場で８年もの間、分断されていた家族の再会に立ち会った。ＪＶＣの現地スタッフ、イスマイルさんの姉から取材中に連絡が入った。ボーダーが開放され、娘を連れて故郷に帰る、というものだった。イスマイルさん、今中さんと共に、実家のある街に向かった。実家の敷地に入ると、すでに賑《にぎ》やかだった。イスマイルさんが玄関口に近寄っていくと、中から女性が笑顔を浮かべて両手をあげて

写真９　女性たちの涙の再会

出てきた。イスマイルさんは、はにかみながら姉とハグをした。帰還の知らせを受けて、親族たちが次々と集まってきた。女性たちは声をあげ泣きながら無事の再会を確かめ合った（写真9）。当時6歳、再会時は14歳に成長していたイスマイルさんの姪っ子は、避難先で語学の勉強を独学で重ね、英語が話せるようになっていた。

「この子は英語を話せるんだ。世界で活躍するよ」とみんなが自慢げに姪っ子の成長を喜んだ。家族の温かい再会の時間が始まった。

ハルツームで多くの市民が犠牲になりながらも、平和的抗議行動で独裁者を倒した。民政移管を絶対にあきらめてはいけないと、さらに座り込みを続け、暫定政府が立ち上がった。首都での変化が、こうして周辺地域での再会の輪に広がった。

いよいよスーダンは、混沌、混乱から発展、創造に向かうのだ、そうした手応えを感じる、2019年12月末の取材だった。

4　民主主義を求める理由

スーダン市民は忍耐と信念で革命を成し遂げた。なぜ、多くの犠牲を払ってでも、民主主義を求めたのか？　私はその理由を直接尋ねたくて、ハルツームから南コルドファンまで各地で出会うスーダン市民に同じ質問をぶつけ続けた。

２０１９年春、この国では約30年続いたバシール独裁政権が倒れた。富は政権に近い一部に集中し、市民はパンを買うことさえ困難になっていた。怒りは沸点に達し人びとは路上に出て声を上げた。かつて大統領が作った私設部隊「ＲＳＦ」により大勢が殺された。数百におよぶ遺体がナイル川に投げ込まれ遺棄された。それでも「非暴力で立ち向かう」と1本のナイフさえ持ち込むことなく権力に対抗した。軍は「我々が守るべきは権力者ではない」と態度をあらため、一転して大統領を拘束した。

なぜ民主主義を求めたのか？　若者たちからは意外な答えが返ってきた。カドグリで出会った10代の女性はこういった。「責任を手に入れたかったからです」「本来、私たちは子どもたちのためにより良い未来を創る責任を負っています。しかし、これまでこの国では権限も財源も全て独裁者がせしめてきました。この国のより良い未来のために、自分たちの力を役立てたいのです」。

自由ではなく、責任。「私たちはこの国を自分たちで作る責任さえ負えなかった」。とても印象に残る答えだった。想像していなかった返答に、わたしは胸がいっぱいになった。

当時、わたしはスーダンと同時期に、香港で民主派デモなどの取材を続けていた。習近平国家主席率いる中国共産党政府やその影響力を背負った香港当局に対し、自由と民主主義を求め世界にＳＯＳを発信していた香港の若者たち。催涙弾を浴びながら共に最前線で圧政を強いる権力と対峙した。民主主義とは何か、それは互いの自由を守り合う対話である、そう語る香港人もいた。

しかし、スーダンでは自由の前に「責任」が語られた。「責任」とは何か。英語では responsibility と書く。response + ability、つまり「応答する力」でもある。私たちは互いに応答しあえる社会をつくっているだろうか。応答なき社会はまさに独裁的である。市民からの問いは、今も私の胸の深くに刺さっている。

一方で、首都ハルツームでの取材では、その民主主義を消滅させかねない回答にも出会った。なぜ、民主主義が必要だったのか？「公正さが必要だからだ」と彼は言った。地域のリーダー的な立場の若い男性だった。「なぜ公正さが？」とさらに問うと、「皆が豊かになるためだ」と返ってきた。納得がいく答えだが、それでは満足できなかった。「民主主義を手に入れた先にまだ貧しさが待っていたら次はどうするつもりか？」と聞くと、「再び革命を起こす」「未来のことはわからない」など答えはまちまちだった。「経済力のある国と連携する」という答えもあったので「例えばどの国と組みたいのか？」と尋ね返すと「中国だ」という。「中国は民主主義ではないが良いのか？」とさらに突っ込むと「安定した経済力があるからだ」という。民主主義はジレンマを抱えた仕組みだ。決定には時間がかかる。プロセスを踏んだ結果、決定できないこともある。決定したビジョンが成功するとも限らない。それでもわたしは人びとがそのプロセスに関わることができる、自らが選択することができる民主主義が最良だと思うが、忍耐強くそれを維持できるかどうかは疑問だ。

当時、わたしはこの時の取材成果を執筆中の書籍の後書きにこう記した。「強いリーダーシップで国家が主導し迅速な決定で経済を発展させる中国モデルがスタンダードになってしまう懸念が拭えない。経済合理性が人びとの基本的人権に優先されかねない決定であっても、受け入れてしまうのではないかと不安だ。欲望を自制できるのか。ひょっとしたら「民主主義」という言葉が過去のものになってしまう未来がくるのではと警戒している」。

そして、この取材からわずか３年。民主主義の消滅は、今、まさに世界の課題となり目の前に横たわっている。特に、スーダンでは。

５　そして、再び衝突が始まった

２０２３年４月15日、現地時間午前、スーダンで軍と即応支援部隊（ＲＳＦ）が首都ハルツームで衝突し、戦車による砲撃だけではなく、戦闘機からの空爆など激しい戦闘が発生した。空港が占拠され、多数の民間人が空港内で拘束された。軍とＲＳＦの攻撃で何人もの死傷者が出ている様子が次々とＳＮＳに投稿された。

同日、夜10時過ぎ、現地で活動しているＪＩＣＡスーダン事務所長の坂根宏治さん、ＪＶＣ・

ハルツーム事務所現地代表の今中航さんに電話やｚｏｏｍでインタビューした。

軍と衝突したＲＳＦは軍事会社、傭兵部隊としても知られており、ダルフール紛争や２０１９年の市民革命でも虐殺行為を行っている。ロシアとの距離も近い。現場で何が起きているのか、銃声が響くなか、坂根さんがインタビューに応じてくれた。坂根さんの説明はとても緊迫しており、そして生々しかった。

「朝の9時半頃から銃撃の音が室内でも聞こえるようになってきました。市内各地で銃撃戦が行われ、それがどんどん激しくなってきましたし、昼の12時過ぎには戦闘機も飛ぶようになってきました。実は、今から2日前、4月13日にスーダン北部のメロウェ空軍基地でスーダン軍とバシール政権時代に作られた「ＲＳＦ（即応支援部隊）」との間で対立がございました。緊張が高まってきたところで、今日の朝、急きょ銃撃戦が展開したというのが現在の状況です。今朝の9時半から既に6時間程経っていますが、今も引き続き銃撃が聞こえる時があります」

突然の衝突。関係者は予測できていたのか？

坂根さんの回答は、我々が向き合っている世界、社会の分断を象徴する歴史的な出来事であった。

ある程度の緊張はここ数日間で高まってきていたのですが、戦闘機が出るところまで高まるとは想定していませんでした。非常に驚いています。２０２１年10月25日にクーデターが発生しまして、それまで行っていた暫定民主政権の民主派のグループが逮捕されたり、解任されたりという事案が発生しました。

その時は国軍もＲＳＦも共に軍政側だったのですが、それから1年以上経ち、２０２２年の12月に政府を元に戻そうということで「政治枠組み合意」、現地の言葉では「フレームワークアグリーメント」というのができました。まず、原則論として元に戻すという枠組みに合意ができました。その後、ファイナルアグリーメント（最終政治合意）を4月1日に、それを踏まえ暫定民主政権を樹立するというプロセスになったのです。タイミングとしては、ちょうどまさに大詰めのところでした。

その大詰めになる最後のポイントが「セキュリティーセクターリフォーム」、つまり軍事部門改革の話だったのです。一番のポイントが軍とＲＳＦの統合問題でした。軍は2年以内に統合しようと言っているのに対して、ＲＳＦは10年はかかると言っていて、なかなかその折り合いがつかなかったんですね。それがトリガーになって、軍とＲＳＦの間で、統合前までにどちらが優位な立場を築くのかせめぎあいがあったのです。それが、4月13日、木曜日の北部のメロウェでの攻防です。スーダンの空軍基地を１００台以上の軍事車両でＲＳＦが押さえにかかりました。ＲＳＦ側はそもそも空軍を持ってないので、そこを押さえようとしたということと、もう1つ。RSF側の言い方としては、軍がエジプトと調整し、エジプト空軍を派遣して、RSFを狙おうとしていたので、それに対して先制攻撃を行ったと。RSFが軍の制空権を押さえ軍用機を飛ばせないようにしたようです。軍としてはこの暫定政権移行プロセスの中で、軍は政治プロセスから撤退すると言っているものの、その中で軍の力が弱まる反面、RSFの力が強くなって治安維持構造が逆転したり、変なことになることを恐れていたので、全体としては政治合意には賛成と言っているのですが、RSFとの関係をどうするかというところが、1つの大きな課題になっていたと思われます。

6　資金源は戦利品として得た「金」採掘権――その影響力は各国に

まさに2019年の市民革命の時にも「治安維持部隊」として市民の虐殺行為を行ったRSF。遡るとダルフール紛争でもかなり非人道的な攻撃をする部隊としても、世界で注目を集めていた。気になるのは、彼らの資金源だった。坂根さんは、スーダンから西、サヘル地域で起きる政変の研究も重ねてきた人物。外国勢力とのパワーバランスについて詳細を語ってくれた。

本当に不思議というか、とても特徴のある組織だと思います。堀さんが言われたように、

郵便はがき

料金受取人払郵便

神田局
承認

2420

差出有効期間
2025年10月
31日まで

切手を貼らずに
お出し下さい。

101-8796

5 3 7

【受 取 人】

東京都千代田区外神田6-9-5

株式会社 **明石書店** 読者通信係 行

お買い上げ、ありがとうございました。
今後の出版物の参考といたしたく、ご記入、ご投函いただければ幸いに存じます。

ふりがな お 名 前	年齢	性別

ご 住 所 〒 -

TEL ( ) FAX ( )

メールアドレス	ご職業（または学校名）

＊図書目録のご希望 □ある □ない	＊ジャンル別などのご案内（不定期）のご希望 □ある：ジャンル（ ） □ない

書籍のタイトル

◆本書を何でお知りになりましたか？
□新聞・雑誌の広告…掲載紙誌名［　　　　］
□書評・紹介記事……掲載紙誌名［　　　　］
□店頭で　□知人のすすめ　□弊社からの案内　□弊社ホームページ
□ネット書店［　　　　］　□その他［　　　　］

◆本書についてのご意見・ご感想
■定　　価　□安い（満足）　□ほどほど　□高い（不満）
■カバーデザイン　□良い　□ふつう　□悪い・ふさわしくない
■内　　容　□良い　□ふつう　□期待はずれ
■その他お気づきの点、ご質問、ご感想など、ご自由にお書き下さい。

◆本書をお買い上げの書店
［　　　市・区・町・村　　　書店　　　店］

◆今後どのような書籍をお望みですか？
今関心をお持ちのテーマ・人・ジャンル、また翻訳希望の本など、何でもお書き下さい。

◆ご購読紙　(1)朝日　(2)読売　(3)毎日　(4)日経　(5)その他［　　　新聞］
◆定期ご購読の雑誌［　　　　］

ご協力ありがとうございました。

ご意見などを弊社ホームページなどでご紹介させていただくことがあります。　□諾　□否

◆ご 注 文 書◆　このハガキで弊社刊行物をご注文いただけます。
□ご指定の書店でお受取り……下欄に書店名と所在地域、わかれば電話番号をご記入下さい。
□代金引換郵便にてお受取り…送料+手数料として500円かかります(表記ご住所宛のみ)。

書名	冊
書名	冊

ご指定の書店・支店名	書店の所在地域
	都・道 府・県　　市・区 町・村
	書店の電話番号　（　　　）

バシール政権時代は「ジャンジャウィード」という１つの武装グループでして、この武装グループがダルフール紛争の時に虐殺行為をしたと言われています。

このジャンジャウィードは、バシール政権時代にバシールの手先となってダルフール紛争を買って出たところがありますので、バシールに重宝されて、それで首都まで上がってきたグループです。

そのときに「ジャンジャウィード」から名称を変えて「ラピッドサポートフォース（即応支援部隊）」に。おそらく考えてみると、バシールを守るためにあらゆることに即応して対応する、これがＲＳＦです。

このＲＳＦと軍の関係というのは非常に複雑です。正規軍である「スーダン国軍」の中にいくつかある諜報機関の一部としてＲＳＦが位置づけられているものの、ＲＳＦは国防軍とはまだ一緒ではないし、また特殊な動き方をするという複雑な構造を持っているというのが成り立ちの部分としてあります。

通称「ヘメティ」と呼ばれていますが、モハンマド・ハムダン・ダガロという人物がトップでして、ヘメティの個人的なパフォーマンスで動いているところがあります。

非常に機転が利く人物だと言われていて、これまでにもダルフール等での金採掘権を、これまでの紛争の戦利品として押さえ、自分のプロパティーとして採掘をしてきたと言われているんですね。それが1つの資金源となっています。

ちょうど2022年2月、ロシアがウクライナに侵攻しましたが、その前日にヘメティ氏はロシアに訪問して今後の協力関係を話しているんですね。恐らくあの当時はロシアに対する包囲網が強くなってくる中で、ルーブルが経済封鎖の影響で使用できなくなる。要は金《きん》ですと価値を落とさずに取引ができるので、その中で金を差し出す代わりに支援を得たいという話をしているんじゃなかろうかなと思います。また、RSFは傭兵部隊としても活躍をしています。イエメン紛争ではサウジ軍に協力を申し入れてサウジ軍側の傭兵として働いていて、サウジアラビアからも重宝されています。

リビア紛争でも傭兵を送っています。ヘメティ氏は戦争ビジネスに長けているところがありまして、周辺国から人をリクルートしてRSFのスタッフや傭兵として雇ってどんどん人を増やしているとも聞いています。

ある意味でまさに「軍事会社」としてその資金源を確保し、その中でどんどん肥大化していっている。今回もいろんな情報を踏まえながら自分たちの権利を守り、広げようと動いてきたというのが特徴ではないかなと思います。

7　民主化を阻む、権威主義国家の介入

西アフリカ諸地域では「ワグネル」といったロシアの傭兵組織、民間軍事会社などがマリを始め、影響力を持ってきた。ロシアや権威主義的な国が今後、こういう混乱と共にアフリカ地域で、どういう影響力を持っていくのかということにもつながってくる。

坂根さんはこう解説した。

ワグネルの存在はスーダンでもありまして、ＲＳＦとも密接に関わっていると言われています。ワグネル自身は西アフリカに入るより先にこちら東の方に入ってきていまして、スーダン、あるいは中央アフリカ共和国、こういうところを拠点にしながらエリアを広げようとしている。

ワグネルはさらに対象エリアを広げようとしており、チャド等にも影響力を伸ばしているように見えます。ワグネルはアフリカ東部で拠点を拡大する一方、西アフリカでも拠点を開拓しています。加えて、２０２０年頃からワグネルだけではなく様々な国が様々な利権を求めて関与してくるという情勢になっています。まさに権威主義が増えてきているという言説とつながるんですけれど、10年、20年前であれば、いわゆる「普遍的価値」というものがあ

り、それに対して従っていこうという価値観があったと思うのですが、その価値観を支持しない人たちが様々な関与をしていく。

資金源を提供、軍事技術や傭兵、ドローンなどのＩＴ技術も提供し、あるいは監視機能を強化する。様々な形の資金・技術の支援によって、普遍的な価値、例えば民主主義だとか、そういうものに対して与《くみ》しない人たちもサポートする形ができていっているような気がします。これがなかなか難しい状況になってきていて、権威主義っていうのが温存されて動いていく、１つの原因になっているんじゃないかなと思います。

堀さんが言われたように、私自身も今のアフリカのこういう紛争に直面している国々のことが非常に気になっておりまして、少し道を外れてしまった国というのが増えている気がします。政治プロセスの中で一番困っているのは市民なので、そうした市民に対してどうやって、安定や発展の道を提供していくのか、それを考えていく必要があると思います。

ＲＳＦとロシア・プーチン氏とのつながりが、ウクライナとの戦争に影を落としている。世界はまさにつながっているのだ。

ロシア軍によるウクライナへの本格的な軍事侵攻が始まって２年を迎える。その間、スーダンで政変が起き、シリア・トルコで大地震が発生、リビアでは大洪水。世界情勢が混沌とする中、私の中でウクライナでの戦争が霞《かす》んでいることに気がつき自らの忘却に慄《おのの》いた。

そうした中、ルーマニアのユニセフで働く根井麻未さんから「施設が閉鎖されそうだ」と連絡をもらった。未だ空爆が続くウクライナ東部地域などから母子や子どもたちだけで避難した人たちの支援施設が資金不足で閉鎖しそうだというのだ。現地に飛んだ。１１０名の避難者が暮らすブカレスト市内のテイ難民センターで３人の娘と暮らすスベタさんに出会った。涙を流し彼女は語り続けた。核の使用に怯え、戦闘のトラウマに悩み、将来への不安で心が壊れそうになっていた。根井さんは彼女の肩を何度も何度も抱きしめた。必要としている温かさを忘却で冷やしてはいけない。まだ何も終わっていないのだ。

第Ⅲ部

今を生きる・未来を創る

[Ibrahim Sayed 作]

第5章　壁に描かれたアートから紐解く、スーダン市民のメッセージ

今中　航

軍事独裁政権が約30年続いたスーダン。パンの値上げを契機に政権打倒の抗議デモが２０１８年12月、地方都市アトバラから全土に広がった。当局は武力で弾圧し犠牲者を出したが、市民は暴力に頼らず闘った。大通りで「殉教者の血はいくらか？」とスプレーで壁に落書きする少女を見た。秘密警察も暗躍する中で、彼女の勇気に驚いたが、これは始まりにすぎなかった。首都ハルツームの軍本部前には「自由・平和・正義」という革命のキャッチフレーズを叫ぶ若者たちが全国から集まり、壁にアートを施していった。スーダンの民族多様性、殉教者の顔、南北スーダンの連帯、アフリカ人の誇り……アーティストは思い思いのメッセージを壁に描いて世界へ発信した。壁のアートから、当時市民が何を訴え、何を求めていたのかを紐解いていく。

1　抗議活動の始まり

軍事独裁政権が約30年続いたスーダン。2018年12月19日、スーダン北東部の都市アトバラで、パンの値上がりへの抗議が発端となり、大規模デモが発生した。しかしこれは単にパンの値上げに抗議したのではない。アメリカからの経済制裁、油田を持つ南スーダンの独立による国家歳入の激減等からくる長年の経済不況を背景として、スーダンポンドの暴落、物価高騰《こうとう》、現金や燃料の不足、これらに起因する数々の影響（医療品不足、公共交通機関の減少など）が民衆の我慢の限界に達したのである。デモは瞬く間にスーダン全土に広がった。タクシーに乗る度に、運転手からは政権に対する不満がこぼれる。「大学を卒業して以来、一度も雇用されたことがない。この国ではコネがないと就職するのも難しい」「スーダンは領土も広く、2つのナイル川（エチオピアから流れる青ナイルとウガンダから流れる白ナイル）がある。肥えた農地もあるし、紅海では漁業もできる。おまけに金などの資源も豊富で、こんな国は他にない。なのに自分たちはその恩恵を全く受けられない。バシール（大統領）は泥棒だ」大体こんな調子だ。多くの運転手は「いつでも呼んでくれよ」と電話番号を読み上げ、携帯電話に登録するよう促すので、生活が逼迫《ひっぱく》していることを感じずにはいられなかった。中にはメッセージアプリで履歴書を送付してくる運転手もいた。ロシアに留学し英語・ロシア語が堪能なだけでなく、修士号も取得されている方だった。

いくら高学歴であろうとも職を見つけるのが困難なのである。大学教員をしている、エンジニアとして働いているという運転手に出会うことも珍しいことではない。高学歴で職を持っていても、十分な給与を受け取ることができず、家族を養うために仕事後に運転手として働くのもよくあることであった。

大学教員、ジャーナリスト、弁護士、医師らによって構成されたスーダン職業連盟（ＳＰＡ）は連日デモを予告し民衆に呼びかけた。「平和、自由、正義」「革命は民衆の選択だ」「政権打倒のみ」と叫びながら行進する、平和的なデモであった。しかし、治安部隊は武力で対抗し、実弾・催涙弾を放ち、デモ参加者を拘束して拷問することもあった。また言論の弾圧も進み、新聞社やテレビ局に対して大きな圧力がかけられた。その上、Facebook やＸ（当時は Twitter）などのＳＮＳもブロックし、デモの呼びかけや治安部隊が武力弾圧している様子が拡散されないよう制限した。政府が非常事態宣言を発令し、夜間外出禁止などデモを弾

写真１　デモが開始した 12 月の末、物々しい武器と兵士を搭載した 100 台以上の軍の車が家の前の道を通っていった。市民を弾圧するためなのか？　これからスーダンはどこに向かっていくのか？　この国の未来を案じざるを得なかった。

写真２　広告用のパネルにスプレーで「革命はキーザーン（利権のある支配勢力を揶揄した名称）に勝利するまで続く」と書かれている。ちなみにキーザーンとはコッズの複数形で、コッズとはコップのことを指す。スーダンの利権や富をコップのように独占してすくっている様から名付けられた。

圧する動きが加速した。

実際に当時住んでいた家の前でも、金曜礼拝が終わった後に市民が突発的に抗議活動を始めた。タイヤを燃やし、チャントを唱えた。するとあっという間に私服の治安部隊が現れ、市民たちを蹴散らかした。数名が捕まり、荷台に乗せられどこかに連れていかれてしまった。

そこにいた誰かが通報したのだろうか。抗議活動が始まってすぐに治安部隊が現れた。どこで誰が見ているのか分からない。30年にもわたって独裁体制を続けてきただけあって、秘密警察が暗躍しているのは間違いない。ある日、10代の少女が大通りの壁にスプレーで何かを書いていた。よく見るとアラビア語で「殉教者の血はいくらか？」と書かれている。誰にも見つかりませんようにと心の中で祈りつつ、少女の勇気に感動を覚えた。

2　独裁政権の崩壊

２０１９年４月、大きく情勢が変わることとなる。４月６日は１９８５年にニメイリ政権が民衆革命の末、軍事クーデターにより打倒された記念日である。ＳＮＳによるデモ参加の呼びかけが拡散されて、ハルツームの軍本部前で大規模なデモ・座り込みが始まった。街中の壁にはいたるところで「４月６日」と書かれた落書きが見られ、地方からも大勢の人びとが軍本部前に駆け付けて、街全体が革命の高揚感で溢《あふ》れていた。大学卒業後、路上で服を売っているというハサンさんは、「以前は仕事もありデモに参加できなかったが、政権を倒すためにはデモしかない」と言って、連日デモの様子をFacebookに投稿していた。また大学卒業後にレストランの店員をしているアブドゥさんは「スーダンにはもううんざり。でも４月６日からは民衆が結束したんだ。我が兄弟のため、バシールを倒すためだ」と言ってデモに参加していた。事態を静観していた軍は、ついに民衆側につく動きをみせ、軍と政権側の治安部隊の間で武力衝突が発生した。数十人の死者が出る事態となった数日後の４月11日、バシール前大統領が拘束され、30年続いた独裁政権は軍事クーデターというかたちで幕を閉じた。街中が歓喜に包まれ、小さい子どもからデモの原動力となった若者、年配者が一緒になって喜びを分かち合った。スーダン国旗を掲げ、車のクラクションを鳴らし、自分たちの手でバシールを倒したんだ、という誇らし気な顔があちこちで

写真３　軍本部の近くの目立たない壁に描かれたアート。独特なタッチと繊細な模様で「自由・平和・正義（フッリーヤ・サラーマ・アダーラ）」と描かれている。

見られた。

しかし、デモによる平和的な抗議を続けた市民により導かれた政変は、人びとが「革命の横取り」と訴えるとおり、軍・警察などから構成される暫定軍事評議会（ＴＭＣ）による権力掌握という事態に陥った。「ジャンジャウィード」と呼ばれる前政権の民兵組織で、西部ダルフール地方で２００３年から始まった紛争において残虐行為をしたことで悪名が高い即応支援部隊（ＲＳＦ）の司令官、ムハンマド・ハムダン・ダガロ（通称ヘミッティ）がＴＭＣの副議長に就任したことも、人びとを不安にさせた。

3　抗議継続と市民のメッセージ

５月のラマダーン中も、デモを主導する民主化勢力の「自由・変革同盟（ＤＦＣ）」が民政移行に向けてＴＭＣと粘り強く交渉を行い、多くの市民が軍本部前で座り込みを続けていた。座り込みといっても、楽器を弾く者もいれば、ダンスする者もいるし、断食後のイフタール（日没後に初めてとる食事）も皆で一緒に食べたりと、軍本部前の一帯はコミュニティのようなものに変化していった。ここに入るには、抗議活動に参加している若者自身によって男女別で身体検査を受け、武器となりうるものがないか確認される。「アラブの春」をニュースで見ていたスーダンの人びとは、抗議活動は武力に頼ってはいけないということを熟知していた。民主化を求める抗議活動が泥沼の戦争に陥ったことをシリア、リビア、イエメン等の近隣アラブ諸国を見て知っていたからである。そして、学校、モスク、病院、高架下、省庁……そこら中の壁には、思い思いのメッセージを訴えるアートで溢れ始めた。

4　子どもたちに教育を

多くの食品企業、レストラン、一般の家庭が座り込みの参加者に水や食事を提供して間接的に革命を応援した。ここに来れば食べるものに困ることはないということもあり、ストリートチルドレンも多数集まった。青空図書館もあり、ビニールシートに古本が並べられ、誰でも好きなときに読むことができた。

当時大学生だったターヒルさんも抗議活動に参加した若者の1人である。彼は集まったスト

写真４　絵を描いたターヒルさん。描かれた少年はハルツームのマヨという地区出身であり、紛争などの影響により地方から移住してきた人びとが集住している地区。ストリートチルドレンに出身地を聞くと、ほとんどの場合マヨ出身である。ターヒルさんが属する若者グループはあらゆる場所にアートを描き、市民にメッセージを伝えた。

リートチルドレンに読み書きを教えた。「資源があり本来は豊かな国であるにもかかわらず、一部指導者が利権を貪ることにより富が分配されず貧困が広がり、子どもたちが路上での生活や物乞いを強いられ、勉強することもできていない」と子どもたちを取り巻く環境を嘆いた。「今までは教育を受けても、大学を卒業しても、仕事がなくて工事現場で働いたり、路上で物売りをすることが当たり前だった。しかし、この独裁政権は終わった。教育を受ければ、そこから未来が開かれるんだ」と将来への希望を絵にこめた。

5　多様性に満ちたスーダン

諸説あるがスーダンには５００以上の民族が暮らしている。大きく分けるとアラブ系とアフリカ系とに分けられるが、それぞれが独自の言語や文化を持っている。地理的にもスーダンは「アラブとアフリカの交差点」と呼ばれるように、首都ハルツームを歩いていると、本当に色々な顔の人びとがいることに気付く。地方に行くと、服装や風習の違いがあり、アラビア語ではなく文字を持たない言語（ロターナ）を話す民族も多く、多様性に驚かされる。一方で人種差別（民族差

写真5（上）　南スーダンとの連帯が示されたアート。下半分の単色部が現在の南スーダンである。黒い手と褐色の手が握手しているのはスーダンと南スーダンの連帯を示している。

写真6（下）　様々な民族の女性が描かれたアート。よく見ると鼻など顔の造形が異なることが分かる。

別）がいたるところに広がっている。アフリカ系ヌバ民族のマーリクさんは、南コルドファン州出身であるが、長らくハルツームに住んでいる。「銀行で働いている人をよく見てみろ、全員アラブでしょう。大学で法律を勉強したけど、今は警備員をしてるよ。この前ある会社に応募したけど、採用されなかった」と不満をうちあけた。不採用の理由が民族によるものなのかは実際には分からないが、抑圧されている側はこのような捉え方をするのも無理はない。またSNS上や喧嘩《けんか》といった場面ではアフリカ系民族のことを「奴隷」と罵《ののし》る場面も残念ながら散見される。

独裁政権下では報道の自由がなかったため、主にアフリカ系住民が弾圧されたダルフール紛争についても首都ハルツームの人びとは詳しくは知らなかった。伝えようとした記者や活動家は拘束・拷問され、命を狙われて国外に逃亡を余儀なくされた人もいる。世界最大の人道危機と称されたダルフール紛争は世界的には大きな注目を集めたが、スーダンの中では限られた情報しかなかったのだ。ダルフール地方以外にも南コルドファン州での紛争も何十万人が避難を余儀なくされたが、本当に現地で何が起こったのかを知る由はなかった。

自由に語ることが許された抗議運動中に、紛争の被害者が、軍やRSFがどんな蛮行をしたのか、どんな被害を受けたのかを語り、SNSでも拡散され広く知れ渡ることとなった。人びとは南スーダン、ダルフール地方、コルドファン地方の人びとに今まで知らなかったことに関し赦しを請い、同じスーダン人として連帯を示した。

約半世紀にわたり紛争を繰り返したスーダンは、民族が集団で避難・移住を繰り返し、スーダンのあらゆる地域で多民族が暮らしている。特に地方では武器が氾濫していることもあり、民族間の争いは犠牲を伴う武力衝突をもたらす。ポート・スーダンで、カドグリで、カッサラで、ダマジンで、このような民族差別に反対し、「私たちは皆スーダン人だ」というメッセージが広

写真7（上）　「民政（マダニーヤ）」と書かれたアラビア語の下には、髪型・服装・装飾品など異なる民族の特徴をとらえた絵が描かれている。

写真8（下）　紅海都市ポートスーダンの壁にも、ヌバやビジャなど異なる民族が共生している様子が描かれている。ポートスーダンでは民族ごとに集まる市場が異なっていたり、バス乗り場が違ったりと民族間の緊張があり、武力衝突を度々繰り返してきた。

写真９（上）　ハミームさんは国立博物館前で絵を描きつつ、売っていた。日が暮れると、絵を展示したまま帰宅していた。「誰も盗らないから心配ないよ。雨が降りそうなときは倉庫に入れておくけどね」とおどけてみせた。

写真10（下）　“Unity”と題されたハミームさんの絵。

がった。革命時にはこれまで陽の目を見る機会が少なかったアーティストにも注目が注がれた。そのうちの１人がハミームさんである。彼も壁に絵を描いた。「絵はメッセージとなり、市民にも広く受け入れられた。アートは世界共通の言語で、日常生活から何まで細かく伝えることができる。革命はアートの価値を上げた。もちろん革命前からアートは存在するが、スーダンの豊かな文化や慣習を世界に伝えることができた」と振り返る。

彼が描くのは、民族の多様性だけではない。“Unity”と題する絵では、革命を通してスーダン人が連帯を示す様を表した。イスラミストもいれば髪を出すリベラルな女性もいる。色々な価値観を持った人がいるが、それを含めてもスーダンなのだ、お互いにリスペクトしなければいけない、と説明してくれた。

6　殉教者への敬意

抗議活動では多くの者が命を落とした。拷問で亡くなった者もいれば、催涙弾・実弾が命中して命を落とした者もいる。武力に頼らず、命を懸けて闘った人びとに対して敬意を示し哀悼の意を示すアートも描かれた。

座り込みによる抗議活動が続いていた、ラマダーンが終わる直前の6月3日、事態が急変する。治安部隊が実弾を使用して武力によるデモ隊の強制排除を開始したのだ。デモ隊が設置したテントは燃やされ、無差別に発砲し、１００人以上の死者、数百人の負傷者が出る事態となった。また、負傷者を手当てしていた医師を攻撃し、病院に運び込まれた負傷者を追い出すなどの蛮行を行い、遺体をナイル川に遺棄したため実際の死者数はもっと多いと考えられる。いまだに行方不明となっている者さえいる。自宅の窓から見た風景は、普段の平穏な街並みからは想像もつかない光景であった。大量の軍車両が隊をなし、兵士が空に向かい威嚇射撃をし、銃声が数時間鳴り響いた。住民は抗議としてタイヤを燃やし、ハルツームの空に何本もの黒煙があがっていた。軍車両が通れないように道にレンガなどを積みブロックをして対抗した。当然のことながら、治安部隊に対する悪評が広まり、街中に駐屯する兵士と民衆との間で緊張は高まった。さら

写真 11（上）　軍本部近くの壁に描かれた抗議活動中に亡くなった「殉教者」の顔。空白の顔が描かれ、目的が達成されるまで命をかけて抗議活動を続けるというメッセージを乗せたアートもあった。

写真 12（下）　鮮やかな天使の羽が描かれた壁。写真撮影スポットにもなった。

にＴＭＣはインターネットを遮断して、虐殺の写真や動画が出回らないようにした。インターネットの遮断は１か月以上も続き、日常生活にも大いに影響が出た。

７　アフリカ人としてのアイデンティティ

壁のアートでよく見られた色の組み合わせがある。それは青・黄・緑である。この色は何だろうか。

１９５６年にスーダンがイギリスから独立を果たしたときに制定された国旗が青・黄・緑であった。青はナイル川、黄は砂漠、緑は農地を表したと言われている。どれも自然を表した色である。しかし、１９６９年に軍事クーデターが発生し、ニメイリ軍事政権が発足し、「スーダン共和国」から「スーダン民主共和国」に改称された。その際に国旗もパン＝アラブ主義の色である赤・白・黒を基調とするものに変更された。多くのアラブ諸国でこの３色を基調とする国旗が使用されているが、現在のスーダンの国旗もその内の１つである。

スーダンを国際関係の観点から見ると、近隣のエジプト、サウジアラビア、アラブ首長国連邦（ＵＡＥ）の３国から最も影響を受けているといっていいだろう。エジプトには４００万人を超えるスーダン人が住んでいると言われ、サウジアラビア、ＵＡＥはスーダン人の出稼ぎ先として最

写真13　6月3日に虐殺された青年ムジュタバさんの似顔絵。殉教者の家の壁に似顔絵を描くプロジェクトの一環として描かれた。絵と一緒に書かれた詩は「オレンジのために正しいことをし、蜜のために死ぬことを教えてくれたのは道だった」を意味する。意訳すると、「武力に頼らず、正義や自由のために道に出て闘い殉教者となることは、名誉なことである」ちなみにムジュタバさんは日本で環境工学を勉強するために大使館に申請書を出して結果を待っている最中であった。このように未来ある青年の夢は奪われたが、家族は彼のことを、勇敢に闘い誇りに思うと語った。彼の死後数週間後にうまれた従兄弟には彼と同じ「ムジュタバ」と名付けられた。

もポピュラーである。3国はスーダンへの援助を積極的に行っているが、多くの市民はスーダンを利用しているだけだと批判する。例えばスーダンは2つのナイルを有し、「アラブのパンかご」と称される程の穀倉地が広がっている。水資源が乏しく農作地として適さないサウジアラビアやUAEはスーダンの農地に積極的に投資を行い、格安で輸入しているのだ。多くのスーダン人が食糧支援を必要としているにもかかわらず。さらにスーダンはアフリカ屈指の金の生産地であるが、掘削された金が正規のルートを経ることなくRSFによってUAEに密輸され、一部の者だけが富を独占している。このようにスーダンの豊かな資源や農産物がスーダン国民に還元されることなく、アラブの大国に搾取されていると反感がある。抗議活動に参加した若者の1人であるハーフィズさんは「大国はスーダンを利用しているに過ぎない。エジ

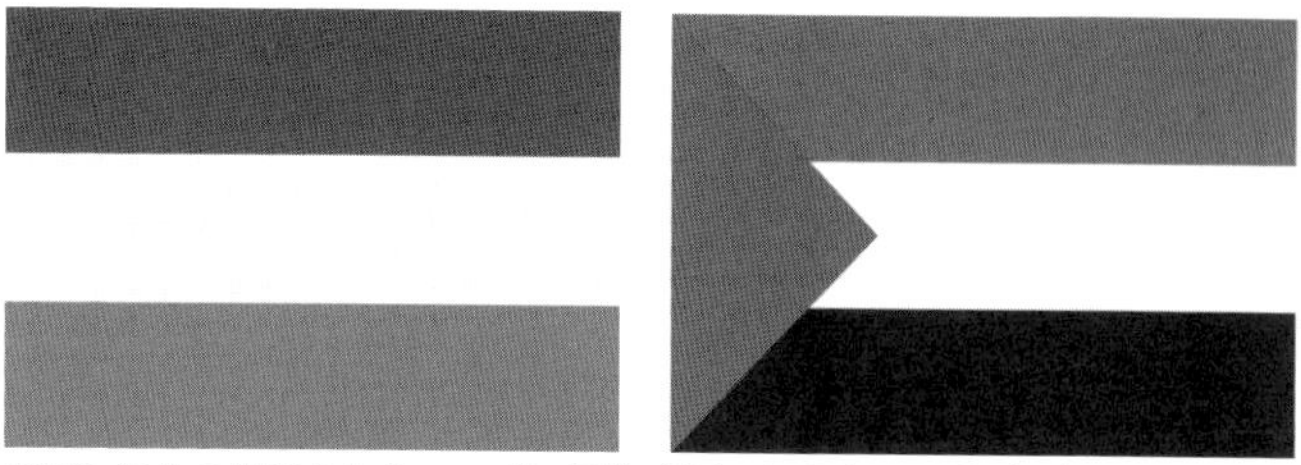

1969年まで使用されたスーダン国旗（左）と現在の国旗（右）

プトはナイル川、サウジアラビアは兵士、UAEは港がスーダンから欲しいのだ」と痛烈に批判した。

イエメンでは、国際社会が認める暫定政権とアンサール・アッラー（フーシー派）が紛争の当事者となり、「忘れ去られた紛争」が続いているが、暫定政権を支えるサウジアラビアは2015年にアラブ連合軍を結成し、スーダンはその一員としてサウジアラビアに協力した。各国は武器を供給して間接的に紛争に火をつけたが、スーダンは兵士を供給した。サウジアラビアは自国の兵士が犠牲にならないよう、フーシー派と戦う最前線にはスーダンからの傭兵を利用したのである。スーダン政府は公式な発表は出していないが、スーダン人兵士の犠牲者は最低でも4000人にのぼるとフーシー派は声明で発表している。「なんで関係ない戦争で私たちの兄弟が犠牲にならないといけないのか？」という声はあちらこちらで聞こえてきたが、それでも貧困層にとってはイエメンに行くことで、スーダンでは手に入れられない報酬を得ることができるため、志願者は絶えなかった。そして無事帰還すると、車やトラクターを購入するのである。

さらに特筆すべきは上記3国とも民主主義の国ではないことである。スー

写真14　ハルツーム郊外の貧困地区にて、イエメン戦争から兵士が帰還し、お祝いをする様子。近所の人や親戚が呼ばれ、昼食が振る舞われた。昼食が終わると、民族特有のダンスで盛り上がり、演者にはチップが配られた。

写真15　治安部隊が投げた催涙弾をバケツ（現地の口語でジャルダル）で被せるヒーローを表している。よく見るとヒーローが身に着けているマントは青・黄・緑のスーダンの以前の国旗の色が使用されている。

ダンで民主主義の体制ができてしまうと、今まで通り好き勝手に利用できなくなってしまう。また自国の民の指導部の利権を失わないためにも、民主化を求める動きが活発化することも避けたいという思惑がある。特にエジプトやサウジアラビアは政府批判につながることは小さな動きでも徹底的に弾圧してきた。そのため、UAEを含んだこれらアラブ諸国は、スーダンにおいて軍による独裁体制を積極的に支援してきたのである。

こうしたアラブ諸国への反感ムードは高まり、「私たちはアラブ人ではなく、アフリカ人である」といった論調が高まっていった。「私たちはアフリカ人だ」とストレートな言葉が書かれたアートも目にした。２０１９年８月にＴＭＣとＤＦＣの代表が合意し、民主化に向けて一歩を歩みだした際に調停したのが、アラブ諸国ではなく、エチオピアとアフリカ連合（ＡＵ）という点も、スーダンのこれからを明示する姿勢であったとも言えるだろう。

写真16　パレスチナの分離壁に描かれているバンクシーの作品の中でも最も有名な絵の1つである Flower Thrower をオマージュしたアート。インティファーダ（抵抗運動）で石の代わりに花束が投げられているが、スーダンでも平和的な抗議活動が特徴であった。花束がスーダンの以前の国旗の色である青・黄・緑で描かれている。

写真17　世界遺産にもなっているメロエのピラミッド群が描かれたアート。イスラームよりずっと前のスーダンの歴史や遺産の貴重性を再認識する動きもアートによって刺激された。

8　軍事クーデターと大規模戦争へ

その後、スーダンは「私たちはスーダンを再建する」というキャッチフレーズのもと、民主化、紛争終結、国際社会への復帰を軸に歩んでいたが、2021年には軍事クーデターが発生し、「後戻り」せざるを得なかった。さらに2023年4月には国軍とRSFによる大規模な戦闘が勃発し、スーダン国民は今まさに未曽有の危機に直面している。戦闘や略奪のために故郷から去ることを強いられ、国内避難民の数は世界で一番多く、スーダンを去る国民も増加する一方である。拙稿で取り上げた私の友人たちもエジプト、サウジアラビア、UAE、リビアといった近隣諸国にいる者が多い。「自由、平和、正義」を目指した民主化革命が結果的に大規模な内戦、深刻な人道危機につながっていったことは否定できない。世界にメッセージを伝え、壁に夢を描いた人びとは今のスーダンを見て、一体何を思うのだろうか。

写真18　南スーダン独立前のスーダンが旧国旗色で書かれたアートの真ん中には「私たちはスーダンを再建する」と書かれている。

革命中に壁に絵を描き続けたアーティストのムハンマドさんはこのように語る。「アートとは人び

写真19　影を用いた手法が得意なムハンマドさんが一番のお気に入りだという壁に描かれたアート。「暴力や抑圧を受けてきたけど、それでも革命を続けることを選択した」という言葉には、このような状況ではあるが、革命で成し遂げたことのプライドを感じる。

ととコミュニケーションをとる簡単な言語のようなもの。不正義、抑圧、民族差別に打ち勝つことができ、絵を通して言葉にはできないメッセージを伝えることができるんだ」彼は現在の戦闘の中心となっているハルツームを離れなかったが、10か月経ってようやくポートスーダンに移った。「今のこの状況がインスピレーションの源となり、絵を描き続けるアーティストもいるだろうけど、私にはできない。ハルツームでは日々空爆や砲撃の音が聞こえ、それどころではなかったんだ。物流が麻痺して店もやってないから、画材を入手することもできないしね。戦争が終わってからのことも今は考えられないよ。状況的にも絵を描くという気分にはなれないね」。

　戦闘後エジプトの首都カイロに退避したスーダン人女性のお宅を訪問すると、キャンバスが置かれていた。話を聞くと、カイロに避難してきてから初めてキャンバスに絵を描いたという。初めてとは思えないほど上出来だったが、絵を描き始めたのは、単にカイロでは画材が安く手に入るからという理由であった。国立博物館の横で絵を売っていたハミームさんもムハンマドさん同様に、「今は何かを描きたいと

写真 20　白ナイルと青ナイルが交わるツチ島に架かる橋に描かれたアートを背景に友人ムサと記念写真を撮った。ダルフール戦争で怪我を負い、左半身に麻痺が残るが、2023 年戦闘前まではハルツームの市場で障害をものともせずに市場でお菓子や煙草を売っていた。戦闘勃発後、連絡が全く取れず、どこにいるか、生きているかさえ分からない。

いう気分や状況ではない」と話していた。大変な状況だからこそ伝えたいメッセージがあるというのは、外部者の幻想にすぎないと思わされるほど、スーダンの状況はそれどころではない。

第6章 「12月革命」と「ヌビアの女王」たち

金森謙輔

1 はじめに

2019年4月、首都ハルツームでは、市民が2か月間にわたって軍本部前に座り込んだ。非暴力に徹して民政を訴える抗議活動だった。この結果、軍事独裁を30年間続けた大統領は失脚し、市民勢力と政権の間に民政への移行期間が設けられる合意が締結された。2018年12月から始まった、この座り込みを含んだ一連の騒乱は「12月革命」と呼ばれている。

本章では、私自身がスーダンに住み、現地の人びとと話し、観察してきたことを主として、スーダンの人びとの他者に対して良いことをする、あるいはしようとする、2つの行動・行為を描く。1つめは、私が日常的に体験したものである。もう1つは、「12月革命」をめぐる回想の聞き取りである。特に、人びとが女性を「革命」の象徴として「ヌビアの女王（カンダカ）」[1]と呼んだ現象について焦点をあてている。なお、本章で紹介するインタビューは、主に3名（A氏40代男性、B氏30代男性、C氏30代女性）のスーダン人から、それぞれ個別に聞き取ったものである。A氏は、私が青年海外協力隊として活動していた頃から「ファルダ（相棒）」[2]として仲良くしており、私が最も信頼しているスーダン人である。ハルツームの隣のオンドルマン出身で、環境NGOや国際機関などに勤めたのち、現在は国際NGOに勤めており、スーダン国内の避難民をエチオピアから援助している。B氏は、北ダルフール州の州都アルファーシル出身で、かつてA氏と事務所を共有していた。若者のエンパワーメントやネットワーク作りを目的とするローカルNGOの副代表だったが、現在は米国の共和党を支持母体に持つシンクタンクに勤めており、ケニアからスーダンの民主化を模索している。C氏は、B氏同様アルファーシル出身だがオマーン育ちである。かつて、A氏が国際機関に勤めていた時の同僚であり、大学で物理学を教える教員でもあった。現在は、戦火の比較的及んでいないスーダン国内の地方に退避し、今後はウガンダへの避難を予定している。

2 「革命」と「ヌビアの女王」

先述した座り込みには、多くの人びとが訪れ、異なる背景を持つ人びとが民政を訴えた。一説によると、政府による強制排除で多数の死傷者が発生する2019年4月から6月までの約2か月間で、スーダン全土から600万人もの人が集結したという。そこには、自由に出し入れできる募金箱が設置され、箱からはお金が溢《あふ》れた。音楽やストリートアートなどの芸術活動や炊き出しや清掃活動が人びとを鼓舞した。報道機関のBBCは、抗議活動に集った人びとは、半数以上が女性だったと報道している。彼女らの姿は共感を呼び、X（当時はTwitter）やFacebookで盛んにシェアされた。英国から独立後のスーダンにおいて、女性の活躍は突如始まったものではなく、固有名詞を持って英雄的に語られる女性活動家は独立以前から存在していた。また、2010年頃から、民主化と選択の自由を望む高学歴の女性たちが「活動家」を名乗り、政治・社会参画への意識を高め、SNSを活用しながら学生運動や言論活動や非営利活動などを草の根で行っていることは指摘されていた。しかし、特定の個人でもなく「活動家」でもない、あらゆる背景や世代の女性たちが象徴化されたのは初めての出来事であった。抗議活動の最前線に立つ女性も、家で実弾や催涙ガスから逃れる人びとを匿《かくま》う女性も、抗議の態度を示すすべての女性たちが「ヌビアの女王」と呼ばれ「革命」の象徴になった。以下のインタビューは、「「12月革命」

前後に女性の「活動家」や「ヌビアの女王」が注目されたが、現在は彼女らをどのように認識していますか？」という質問に対するB氏とC氏の回答である。

【B氏】俺が今も革命にコミットしているのは、女性たちの抗議する姿を見たからなんだ。うまく言えないんだけど、自分の命をかけたいと思った。今では「カンダカ」という言葉はあまり使わなくなったけど、女性への敬意は変わらない。逆に、今では政権側が「カンダカ」を「アバズレ」「共産主義者」「不信心者」といった侮蔑の用語として使うことがある。

【C氏】以前は、女性は弱者だという理由で保護される対象だった。今はより対等に、より自由になったと感じる。まだ不十分だけど、発言も自由にできるようになった。一部の過激なフェミニストとミソジニストが協調を壊しているようだけど、そういう人たちも過渡期には必要な存在かもしれない。あれは、２０２１年の前半だった。バス停でからまれたの。彼は、私の服装がはしたないとケチをつけてきた。口論になった末に、彼は納得して私に謝罪した。彼の謝罪は勇気ある態度だった。周囲にいた人たちは「カンダカ！」と拍手をした。私は以前ズボンを履こうと思わなかったが、今は履いている。ヒジャブは好きでしている。ヒジャブを取ったからといっても信仰を捨てた意味にはならないし、はしたないとも思わない。信仰を捨てずにモスクに行くことをやめた人だっている。

3　「12月革命」と『災害ユートピア』

作家のレベッカ・ソルニットは、著書『災害ユートピア』で、人間は大惨事に直面すると利他的な行動を取るようになるということを膨大な資料を用いて示した。ソルニットは、経済合理性以外を切り捨て、人びとが集団のつながりや愛情を忌避するようになった個人主義的な現代社会は「遅効性の災害」だという。さらに、大地震や台風は、この「遅効性の災害」を逆回転させ、突如人びとが助け合い協力する即席の地域社会を生みだし、多くの人がこの体験をいとおしく思うようになる、ということを彼女は指摘している。

ハルツームは、日常的に人びとが助け合い協力している地域社会だという印象を私は持っているが「昔と比べるとハルツームの人は冷たくなり自己中心的になった」と、年配の人たちは言う。私は「昔」のハルツームを知らないが、この点においてはスーダンの都市部においても、ソルニットの言う「遅効性の災害」を被《こうむ》っていたと言えるのかもしれない。一方で、「12月革命」にいたる政府による市民の弾圧と暴力はまさに大惨事であり、圧倒的な暴力に抗した過程の回想の聞き取りは「災害ユートピア」そのものであった。以下は、当時を回想したA氏とC氏の聞き

12 月革命から 2023 年軍事衝突までの出来事

2018 年 9 月	補助金カットにより生活必需品の価格が暴騰。ATM から現金が引き出せなくなり、銀行には長蛇の列ができた。
2018 年 12 月	スーダン全土で、市民が非暴力に徹して抗議活動を始める。政府はこれを激しく弾圧するが、鎮圧できず抗議活動はより拡大される（インタビュー 1）。
2019 年 2 ～ 3 月	スーダン全土で、連日抗議運動が続けられる（インタビュー 2）。 大学周辺では、パブリックスピーチが大学生によって行われる。言論で戦う彼らに政府は暴力で応酬。密告が奨励され、若者による政府の下部組織が誕生。
2019 年 4 月 11 日	軍が無血クーデター。バシール大統領を解任。市民はこれに対して「不十分」「革命の乗っ取り」と強く抗議。政府は座り込みの強制排除を試みた。陸軍中尉ムハンマド・シディグと彼の部隊は抗議活動参加者を守るという決意を示した。彼らを皮切りに、若手の軍人たちは「軍は市民を守るためにある」と次々に反発し、座り込む市民を守る行動を取る。軍は 2 つに割れた（インタビュー 4）。
2019 年 6 月 3 日	RSF をはじめとする鎮圧部隊により、座り込みをしていた市民は強制的に排除され、多数の死傷者が発生。2024 年現在、骨肉の争いを続けているブルハンとヒメッティは、手を取り合って市民を蹂躙していた（インタビュー 3）。
2019 年 6 月 7 日	エチオピア首相、アビィ・アハメドがスーダンへ訪問し、調停を申し出る。
2019 年 6 月 9 ～ 11 日	民主化を求める野党や労働組合の連合組織である Forces of Freedom and Change（FFC）がゼネストと、国際社会に対して政権に圧力をかけることを求める。
2019 年 6 月 30 日	大規模抗議活動。世界各地で移住者や留学生が実施。欧米メディアに注目され、危惧されていた強制排除による虐殺が回避される。ハルツームでは、100 万人規模の抗議活動。
2019 年 7 月上旬	FFC と軍部の予備合意が締結。
2019 年 8 月 17 日	近隣諸国の政府首脳や欧米諸国の政府代表団が列席して、FFC と軍部の間で暫定政府の発足に関する正式な合意が締結。
2019 年 8 月 21 日	ハムドックが首相に就任。2021 年 8 月までブルハンとハムドックによる共同統治。民政への引き渡しは 2021 年 11 月に予定されていた。
2021 年 9 月	軍事クーデターが試みられるが政府によって阻止される。軍部と文民指導者の間の緊張が高まる。
2021 年 10 月	軍事クーデターが発生。
2021 年 11 月	ブルハンが事実上の国家元首に就任。
2022 年 1 月	ハムドックが復権を断念し辞任。
2023 年 4 月	RSF と軍が衝突し内戦が始まる。

取りである。なお、年表を作成し、各インタビューの時系列は年表に付している。

2018年12月24日　C氏【インタビュー1】

12月24日だった。月曜日。思い出すと胸が締め付けられる。ハルツームでは、最初の抗議活動の日だった。平和的に行進をする市民に対して、治安部隊は催涙ガスをばら撒き、群衆を捕まえてはライフルや棒で殴り、無理やりトラックの荷台に乗せて連行した。暴力を目の前にしても、人は冗談を言ったり助けあったりするものだということを知った。連行された人は拷問されたり、レイプされた。後遺症が残っている人もいる。私は、ガスを吸い込んでパニックになり、側溝に落ちてしまい身動きが取れなくなった。だけど、すぐに誰かが私を引き上げてくれた。幸い大きな怪我はしていなかった。彼は、自分が身につけていたゴーグルとガスマスクを脱ぎ、私につけてくれた。そして、私の手を取ってガスの届かないところまで連れて行ってくれた。あの命の恩人は誰なのか今でもわからない。

2019年2〜3月頃　C氏【インタビュー2】

ハルツームでは、若者のグループが連日パブリックスピーチをしていた。私も毎日参加していた。それに対して、反革命派たちはナイフや銃や鉄パイプを突きつけた。彼らは政権を支持していたのではなく、団結する人たちを妬み憎んでいたんだと思う。これまでも、宗教観の対立や民族間の軋轢《あつれき》はあった。北部の人は、スーダンはひとつだって言うけど、ダルフールの人だって同じことを言う。差別され抑圧されてきた人は、勝手に決めつけるなと言う。ねえ、誰がスーダン人なの？　この30年間で、私たちはスーダンには様々な文化や民族があったことを忘れてしまっていた。これまで私たちが協力しあったことは一度もなかった。同じ未来を描いたこともなかった。だけど私たちは「革命」のために、軋轢をひとまず棚に置いて団結することにしたの。

2019年6月3日　A氏【インタビュー3】

近一帯の家の中に催涙ガスが投げ込まれた。視界が奪われ、息ができなかった。家には俺ひとりしかいなかった。パニックになって、死ぬかもしれないと思った。這《は》ってなんとか家の外に出た。隣人が助けてくれた。こんなに恐ろしい思いをしても、逃げずに抗議活動へ駆り立てられたのは、恐怖より怒りが勝っていたからだ。政府による拷問や略奪やレイプが市民を変えた。「革命」がはじまってから、女がひとりで男の家に避難したり、その逆だったり、助けあうことに関しては性差による躊躇《ちゅうちょ》がなくなって、男女で話し合う機会が増えた。皮肉なことに、政府の暴力によって女と男が対等であることに気づかされた。女は尊敬される対象になった。そもそも、この「革命」を始めたのは女たちだ。彼女らが抗議する姿に男たちは感化された。抗議はいつも女たちのかけ声で始まった。治安部隊は女たちに対して、最初はあまり乱暴をしなかった。だから彼女らは、それを利用して男たちの盾になった。だけど、やつらは次第に女たちに乱暴をするようになった。だから男たちは、女たちの盾になるため前に出た。女たちはさらに男たちより前に出た。男たちは女たちを「カンダカート！」と言って賞賛した。女たちが新しい社会を作った。以前は「カンダカ」という言葉は一般的ではなかった。俺は２０１９年にその単語を知ったし、かつて実在した女王たちの名前もその時に知ったよ。当時知り合った俺の妻は今も「カンダカ」だ。

Ｃ氏は、催涙ガスを吸い込みすぎた結果、ぜんそくを発病した。Ｃ氏もＡ氏も、当時の悲惨な体験を語りながらも、どこかうれしそうで楽しそうで誇らしげな表情をしていた。

また、私は２０２２年11月、Ｂ氏から食事に招かれ家へ訪問した。彼は、地域ごとで軍政に抵抗するレジスタンスをまとめている。それにもかかわらず、従兄弟だと言って紹介してくれた列席者は軍属だった。私は戸惑ったが、Ｂ氏は「いいんだよ、スーダンではよくあることだよ」と笑っていた。私は、「殺し合うことになるかもしれないし、お互い情報が漏れていいの？」という質問をした。Ｂ氏の従兄弟は、「軍は国を守るものだ、だから市民を守る」「俺たちは従兄弟同士なんだ」と返答し、私は、「じゃあ２０１９年に軍が割れた時も、あなたは市民を守った側だったの？」と尋ねたら、彼は「その時はまだ大学生だったけど、あれがきっかけで軍に入ろうと思ったんだよ」と語っていた。なお、彼が軍に入隊するきっかけを作ったムハンマド・シディグ氏は、２０２４年５月に戦死した。【インタビュー４】

4　スーダンでの日常的な「利他的」人びと

やさしい、見返りを求めない、実直、敬虔《けいけん》。スーダンに行ったことがある人はこのようにスーダン人を評価する。頼りない、約束を守らない、権威主義的、幼い、そのような声も聞く。私は10年以上スーダンの人びとと関わってきたが、どちらも正しいと思う。スーダンの治安の良さや、人びとの誠実さや優しさなどは旅行ブログや動画サイトでもよく語られている。

２０１３年から2年間、私は青年海外協力隊員としてハルツームに滞在し、現地の若者と共に環境美化活動をしてきた。彼らは、私と共に多くの時間を割いてくれたが、見返りを要求してきたことは一度もなかった。それどころか彼らは気前がよく、私はよくご馳走になっていた。週末には色々な景勝地へ連れ出してくれた。もし、彼らにたかり続ける図々しさがあれば、ビタ一文使わない生活も可能だったと思う。赤の他人ですら気前がよかった。誰かが姿を現さずに、いつの間にかレストランでの会計を済ませてくれていたり、隣に座った人からバスの料金やコーヒーをおごられることも稀ではなかった。ストリートチルドレンから施しを受けることさえあった。私が住んでいたアマラートと呼ばれるハルツーム中心部では、よくストリートチルドレンが施しを乞うていた。私が歩いていると、彼らは駆け寄り手をつないできては、小銭や果物やお菓子をねだってきたものだった。感謝の言葉や態度はほとんどなかったが、しつこさもなかった。何かをあげたり、「今日はないよ」と断ったりすると、彼らはプイッとすぐ他のところに行ってしまうのだった。私は、ある日ひとりの男の子に「１ポンドちょうだい」と手のひらを差し出してみた。「いつもあげているし、ねだってみたらどのような反応をするのか」という好奇心から意地悪をしたのだ。彼は、躊躇なく私にコインを差し出し、いつものようにプイッとどこかに行ってしまった。さらに、近隣の人が、私が果物を施すところを「見ていた」と言い、私が施したものよりずっと多いお返しをくれることもあった。これは、私の運が特別良かったからというわけでもないようだ。スーダン人の友人たちに「こんなすごい出来事があった」と興奮して話しても、うなずきながら「スーダンだねえ」という反応だった。

経済がどん底に落ちていた２０２３年ですら同様のことがあった。魚料理が評判のレストランで食事をし、会計をしようとしたら、店主が「もうレジを締めたので、お金を払われたら困る」と私に気を使いつつおごってくれたことがあった。またある日、私が市場でバスを待っている時に、「マスクを買って」と10歳前後であろう女の子に尋ねられた。私はすでにひとつ携帯していたので、マスクをひとつ買った後、自分のために使ってと言いそのまま彼女に返した。彼女の隣でポケットティッシュを売っていた別の女の子が、笑顔でポケットティッシュを1つくれた。隣でバス待ちをしていた男性は、「君はスーダン人みたいだな」と言って、彼もマスクを1つ購入し、私にくれた。例をあげ始めるときりがないほど、このような体験が日常的にあった。

5　ハルツームでの現地調査

2017年から「12月革命」まで

協力隊としての任期を終えた後も、スーダンで体験した他者に対する振る舞いへの関心が捨てきれず、大学院に進学してスーダンに戻り調査をすることにした。ハルツームで私と共にボランティア活動をしてきた若者たちを足がかりに、非営利活動に従事する若者たちの活動動機やライフコースを調査した。結果的に、この調査は彼らの「利他性」を描くにはスジが悪く、成功したとは言いがたいが、以下のことがわかった。

彼らの主な活動動機は、身近な篤志家《とくし》に影響を受けて社会貢献意欲を高め、共通課題を持つ若者たち同士が交流を楽しむことだった。生活背景としては、大卒以上の学歴をもち、比較的裕福で、敬虔なムスリムが多く、男女比はほぼ半々だった。私は、調査してきた若者たちから、

２０１９年の抗議活動に参加していたことをメッセンジャーアプリで伝えられて驚いた。彼らは、環境問題や教育格差などの社会問題に関心が強く、それらへの対応をおろそかにしている政権を批判しつつも、直接抗議をしたり学生運動に参加していたことがある者はわずかだったからである。彼らの活動は、ある意味行政が放棄した福祉サービスの穴埋めであり、つまり意地悪な言い方をすれば政府に対して従順だったとも言える。しかし、彼らは２０１９年初頭に政府から弾圧され、活動停止に追い込まれた。同時期に、多くのＮＧＯが、政府から反政府的活動の嫌疑をかけられたり、治安部隊から脅迫されたりしたという。私が調査をしてきた女性たちが「ヌビアの女王」になっているとは信じがたかった。彼女らが何を希望し、社会からどのように期待され変革の象徴になったのか関心を持った。２０２２年に彼女らと再会したが、はたして彼女らは以前のままだった。「ヌビアの女王」たちは、特別な女性として扱われてはいなかったし、大袈裟な呼称はもはや特殊な文脈以外で使われることはなくなっていた。しかし、彼女らは自身を「活動家」や「革命家」や「反逆者」であると自称していた。彼女らは、自分たちが普通の女性であることを強調し「ヌビアの女王」と大袈裟に呼ばれることに対しては違和感があるようだったが、古い価値観や体制に反逆する女性が「ヌビアの女王」であるというイメージは共通して持っていた。彼女らは、より堂々と自分の意見や主張を言うようになったと語り、何か大きな変容を遂げたようにも思え感慨深くなった。

私が調査してきた若者たちは、英米などの政府機関を支持母体に持つ国際ＮＧＯや、政策提言をするシンクタンクへ転職していた。２０２３年４月に起こった軍事衝突以前は、彼らは政権へのレジスタンス同士が情報共有をするための窓口になったり、民主主義や選挙に関する講座を、レジスタンスに参加する人びとを対象にして開催するなどして、市民の政治リテラシーを高める活動をしていた。彼らの給与は、一般的なスーダン人よりはるかに高かったが、余剰金は身近な困窮している人や友人に援助しており、以前と生活レベルはほとんど変わっていなかった。それはかつて自分が同様に援助されたから、当たり前のことだという。また、援助機関に頼らずに、貧困層や女性の自立を目指し、社会起業家としてビジネスを始めている者もいた。

現在は、連絡を取れる者全てがハルツームの住まいを失った。国内外で仕事を続けている者もいるし、退避している者もいる。

２０２２年９月から軍事衝突前夜の日常

私は、２０２２年９月から２０２３年３月までハルツームに滞在していた。荒廃してしまった、というのが第一印象だった。ハルツームの路面の状態は、省庁街の大通りですらでこぼこしていたり亀裂が入っていたりと、以前よりずっと悪くなっていた。落書きだらけのシャッター通りが目につき、物乞いがいたるところにいた。その一方で、最後に渡航した２０１８年にはほとんど見ることのなかった「フェイド」と呼ばれる、髪型をドレッドやアフロにして着崩しをする男性たちや、ヒジャブをせず、タイトなズボンを履いた女性たちが目につくようになっていた（写真1）。ルックスの変化について聞き取りをしたところ、「伝統的価値観」という考え方に反逆する態度の表明だという。「逸脱した」髪型や服装に変えることは、政府からは反体制的な態度とみなされ、「カンダカ」と同様に「共産主義者」「反宗教」だと非難される。逮捕されて髪を剃られたり、鞭を打たれることもあるらしい。

写真1 「革命」以降よく見られるようになった若者たちの装い

　街の壁のいたるところには、「12月革命」や２０２１年のクーデターに関する壁画が描かれていた。特に多くの犠牲者が出た場所や、抗議活動が頻繁に行われる場所の近くには、大きな壁画が密集していた（写真2、3、4）。住宅街の中に入っても、壁に多くのメッセージが残されているのを容易に見つけることができる。主なメッセージ内容は、抗議活動の集合場所や日時の告知をするためのものや、レジスタンスによる檄文である（写真5）。インターネットや電話などの通信手段が断たれた際にも、情報共有ができるように掲示板としての役割が果たされている。壁の所有者たちは、「治安部隊に脅されて何度か消したけど、すぐ上書きされてしまうんだ」「忘れてはいけないことだから消さない」「檄文を書いていた人に食事を提供したことがある」などと語り、どの所有者も、勝手に描かれることへの反発や不快感を感じたりはしておらず、にこやかに誇らしげに話を聞かせ、壁に描かれたものを見せてくれた。落書きだらけのシャッター通りは、夜間になると路上のカフェで賑わった。ヒジャブをせずにズボンを履いた女性がバラを売り歩いていたり、新しいお菓子のメニューが開発されていたりした。調査をしていたある女性の社会起業家（写真6）は、

写真２　壁画を描く女性の壁画

写真３　2021 年のクーデターに抵抗し、犠牲になった人びとを弔うカフェテリアの壁

写真４　「REVOLUTION」と書かれた壁画。古国旗の配色である、青、黄、緑で塗られている

２０２３年３月の国際女性デーで、ファッションショーを披露した。モデルたちは肌を露出させて堂々とランウェイを歩き、観客たちは大きな歓声をあげていた。観客たちの大半はヒジャブを着けた女性であり、中にはニカブをしている女性もいた。

　このような体験から、荒廃してしまったという表面的な印象と、何か大きな地殻変動が起きているという印象を同時に受けた。

写真５　抗議活動の日付予告が記されている壁

写真６　女性の自立支援をして「革命」の成功を目指す社会企業を運営する女性たち

　私は、A氏宅に居候をしていた。渡航前に、うちに住めばいいとA氏が提案してくれたのだ。到着してから、A氏の父親に家賃の相談を持ちかけたのだが、「恥ずかしいことはやめなさい」と交渉は拒否され、彼は私に離れを丸ごと貸してくれた。この地域は、やや裕福な人たちが住む、青白ナイル川が合流した大ナイル川沿いの閑静な住宅街である。普段聞こえてくる大きな音は、子どもたちの遊ぶ声や、ロバに乗って訪問販売をしにくる人の呼び声くらいだった。その一方、居候先から1キロメートルほど離れた市場では、市民による政権への抗議活動が週に1、2回行われていた。抗議活動のある日には、居候先からでも銃声が聞こえてくることがあり、治安部隊が使用した催涙ガスが住宅地付近までただよっていた。散布されたガスは何時間も周辺に留まる。近づくと目、鼻、喉に濃縮した玉ねぎを吹きかけられたような状態になり、強く吸い込むと前後不覚に陥る。近くを通り過ぎる際には、市民たちはカバンからマスクを取り出し着用していた。マスクのない人は、ハンカチやポケットティッシュを鼻と口に当てて往来をしていた。マスクはコロナ対策のためではなく、催涙ガス対策のために使われていた。

ある日、私は聞き取り調査をするため、バスに乗ってハルツーム中心部へ行こうとしていたところ、大規模な抗議活動に鉢合わせてしまった。ハルツーム中心部へ向かうために乗り換えるバス停付近には、机や露店の叩き台でバリケードが築かれ、タイヤが燃やされていた。バリケードの中では、アーマーを着た治安部隊が催涙弾を飛ばし、催涙弾は放物線を描きながら地面に落ち、白いガスをまき散らしていた。抗議者たちは、ゴーグルを着用したり布を顔に巻いたりしながら治安部隊と対峙していた。私を含むバスの乗客たちは、バリケードから50メートルほど離れたところで降ろされ、私は路上でバリケードの先を見ていた。ガスの影響で、目を開けているのも呼吸をしているのも苦しくなり、見ているのがだんだんと恐ろしくなる一方で、気分が高揚し視界がスローになって見えた。歩いて家に引き返そうとした時、バリケードの方から「おい、危ないからこっちにくるな」と叫びながら３人の若者がこちらにやって来た。彼らは、「今日は橋が閉鎖されてどこにも行けない、撃たれるかもしれないから帰れ」と流暢な英語で言い、私の手を引いてガスをほとんど感じなくなる場所まで送ってくれた。彼らは、はげますように私の肩をポンポンと叩いたのち、バリケードの中に走って戻っていった。彼らを見送っていた私と目があった露店商は、何も言わずにうなずいた。築かれたバリケードの外側には、臨時の露店とバス停が立ち並び、野菜や果物が売買され、人だかりができていた。ストリートチルドレンが「ボンバン（催涙ガス）、ボンバン」と言いながらマスクを売っていた。居候先に戻ると、家の前の通りでは、いつも通り子どもたちがサッカーをしていた。死が目の前にあるような感覚と興奮を得た一方で、日常的な生活風景もすぐ隣にあった。現在、この地域は灰燼《かいじん》と化しており、居候していた家は蜂の巣になってしまったとＡ氏から聞いた。

6　現代スーダンにおける利他的行動と女性の象徴化

これまで記述してきた例のように、スーダンでは物品や金銭だけでなく、安全や命がけの行動など、「贈与」が様々な形でおこなわれていると言える。一方で、取り立てや等価交換は美徳に反する。コスパやタイパやウィンウィンの関係は重視しないし、見返りも期待しない。しかし、思わぬところで「贈与」を受けたり、さらなる「贈与」によって報いられることがある。このことから、スーダンでは、個人対個人ではなく、集団による「贈与」の循環があると私は考えている。その一方で、貧富の差は大きく、汚職は蔓延し、平等で公平な社会からは程遠い。むしろ、「贈与」が囲い込みや縁故主義の温床になっている可能性すらある。私自身は、周囲からなるべく好印象を持たれたいという打算的な動機で、彼らの「贈与」を真似はじめ、真似ているうちに習慣化してしまった。なぜ人は人にいいことをしようとするのか？という問いへの答えは結局今でもわからないのだが、当たり前、習慣だと言えばそれまでだ。しかし、スーダンでの生活で「贈与」が当たり前のことだと確信し断言できることは、私にとっては大きな発見と喜びだった。この経験を通じて、私はスーダンで暮らす人びとが行う「贈与」が、当然のことであったり義務感を感じて行うことであることを知ったが、同時に歓喜と充足感を伴う行動／行為であることも実感として知った。「贈与」をされたり、することで、胸がしめつけられるようなあたたかい気持ちになる。この感情をひとことで表せる単語は、現代の日本語には「エモい」以外無いのではないかと思う。細かく考えれば、人情であったり、愛情であったり、地域のしがらみであったり、自己陶酔だったりするのかもしれない。良いことばかりではなく、面倒なことでもあるし、腐敗の温床にもなりうるし、他人にとっては迷惑このうえないことでもある。

私が調査してきた人びとは、言論やビジネスで軍政に反逆してきた。彼らは、２０２３年の軍事衝突直後には、避難民や傷病者の誘導や炊き出しなどにあたっていたらしい。２０２４年6月現在、彼らはエジプトやエチオピアやケニアに移り住み、引き続き仕事を続けているが、スーダンに残り避難民の支援を続けている者もいる。彼らは口をそろえて、まだ革命は終わらないという。街が灰になっても家を奪われても、あきらめず「革命」を国内外から続けている。

体制や抑圧に抗う「女性」という存在が、連帯し同じ未来を描く「革命」の象徴になった。男性たちも、女性たちに敬意を払うようになったことを自覚し、それを好意的な変革だと捉えた。ここには、男女間の相互的再帰的な影響が見られる。つまり、「ヌビアの女王」とは、「災害ユートピア」を強力に持続させて、スーダンの日常的な利他性と混じり合い、「革命」にコミットする人びとを再帰的に映しだす、「革命ユートピア」の象徴だったのだ。悲惨だが甘美な「12月革命」の記憶が「革命」を続けさせる動機になっているのかもしれない。

注

1　アラビア語ではカンダカ、複数形はカンダカート。日本語表記はカンダケだが、本章ではアラビア語の音のつづりを用いている。

2　アラビア語スーダン方言で靴（単数系）の意味。靴はひとつでは使えないことから相棒の意味として使われる。

＊参考文献

BBC 2019. "Letter from Africa: 'We're not cleaners'—sexism amid Sudan protests" https://www.bbc.com/news/world-africa-47738155（２０２４年6月7日閲覧）.

Hale, S. and G. Kadoda 2015. "Contemporary Youth Movements and the Role of Social Media in Sudan", *Canadian Journal of African Studies*, 49(1), pp. 215–236.

レベッカ・ソルニット　［高月園子訳］　２０１０『災害ユートピア』亜紀書房。

アブディン・モハメド　２０２０「バシール政権崩壊から暫定政府発足に至るスーダンの政治プロセス——地域大国の思惑と内部政治主体間の権力関係」『アフリカレポート』58巻、41～53頁。

第7章　ポストコンフリクト国における文化遺産の復興と平和構築

石村　智

1　はじめに

２０２３年4月15日、スーダン国軍と準軍事組織である即応支援部隊（ＲＳＦ）が武力衝突したのは、青天の霹靂《へきれき》であった。

私の所属する国立文化財機構東京文化財研究所はその前年の２０２２年より、スーダンの国立民族学博物館（National Ethnographic Museum）と、スーダンのリビングヘリテージ（生きている遺産）に関する研究交流を始めた。２０２３年の5月にはアマニ・ノウレルダイム（Amani Noureldaim）館長、エナジール・ティラブ（Elnzeer Tirab）副館長を日本に招へいし、研究交流の覚書を締結する予定であった。そのため2人の査証（ビザ）や航空券、ホテルなどの手配をし、講演会を準備すべく奔走していただけに、武力衝突のニュースは衝撃的であった。

事態がすぐに鎮静化に向かうことを祈ったが、状況は楽観を許さなかった。スーダンの首都ハルツームの空港は封鎖され、街は戦場となり、2人の日本への渡航はおろか、その身の安全すら脅かされる状況となってしまった。4月25日には自衛隊の輸送機によってスーダンの在留邦人45名が退避し、残りの邦人も自力で隣国へ脱出したり、外国の協力によって出国したりすることができた。こうした一連の邦人退避の様子はニュースで大きく報じられたが、それが無事に完了した後は、日本のニュースでスーダンの情勢が伝えられることはほとんどなくなってしまった。

しかし、この原稿を執筆している今現在（2024年1月）においても、ハルツームに所在する国立博物館、国立民族学博物館をはじめとする博物館はいずれも閉鎖され、文化遺産を管轄する国立古物博物館機構（National Corporation of Antiquities and Museums　略称NCAM）のスタッフをはじめとする文化遺産関係者も退避を余儀なくされている。スーダン各地にある遺跡も破壊や略奪などの危険な状況にさらされている。

しかし、国外に脱出したり、国内の安全な場所に退避したりしたスーダン人文化遺産関係者たちは、困難な状況に置かれながらも、文化遺産保護の活動を止めない努力を続けている。またスーダンの文化遺産に関わる国際的な専門家たちも、彼らの取り組みを様々な形で支援している。

ひるがえって世界の状況を見ると、ウクライナでは戦争が続き、パレスチナのガザ地区でも激しい戦闘が繰り広げられている。アフガニスタン、ミャンマー、イエメン、マリといった国々でも憂慮すべき事態が続いている。こうした地域では深刻な人道危機が起こっていると同時に、人類の遺産とも言うべき文化遺産もまた危機に瀕しているのだ。

しかし戦争や武力紛争のさなかにあって、文化遺産の問題に注目される機会は少ないと言わざるを得ない。しかし私があえてここで強調したいのは、文化遺産こそ平和構築のカギであるということである。本章ではそのことを議論していきたい。

そこでまずユネスコ憲章の前文で示された「平和のとりで」の考え方を紹介する。続いて、私自身によるアフガニスタンとカンボジアでの経験を紹介したい。いずれの国においても、長年にわたる内戦によって多くの文化遺産が被害を受けてきた。しかし一方で、内戦終結後の国の復興において、文化遺産の復興が国際社会からの支援を受けることで進められた。やがてこれらの国では、現地の人びとの中から文化遺産の専門家が育ち、彼ら自身の手によって文化遺産の復興が進められるようになっていったのである。

それらを踏まえた上で、スーダンの文化遺産の復興に向けた動きを見ていくこととしたい。スーダンでは武力紛争の状況にありながら、多くのスーダン人関係者が引き続き、文化遺産を守るための取り組みに携わっている。そして多くの外国の専門家たちも、彼らの活動の支援と協力を行っている。もちろん武力紛争下という状況でできることに限りがあるのは事実だ。しかし武力紛争が現在進行形となっている今だからこそ、やるべきことが数多くあるのもまた事実である。本章ではこうした困難だが重要な取り組みについて見ていくこととしたい。

2　文化遺産と平和構築

ユネスコ（国際連合教育科学文化機関）は、世界遺産条約や無形文化遺産保護条約を取り扱う国際機関として一般にもよく知られているが、その設立はそれらの条約の制定よりも古く、第2次世界大戦が終結した翌年の1946年のことであった。

ユネスコは教育、科学、文化の発展と推進を目的に設立されたが、その理念は『ユネスコ憲章』に記されている。その中でも最も有名な言葉は、『ユネスコ憲章』前文の「戦争は人の心の中で生まれるものであるから、人の心の中に平和のとりでを築かなければならない」というものである。

この後にも文章は続くのだが、文化遺産と平和構築について関連の深い2つのセンテンスを抜き出してみたい。1つは「相互の風習と生活を知らないことは、人類の歴史を通じて世界の諸人民の間に疑惑と不信をおこした共通の原因であり、この疑惑と不信のために、諸人民の不一致があまりにもしばしば戦争となった」である。世界の色々な国や地域に住んでいる人たちは、様々な文化を持っていて、異なった考え方をしている。その考え方の違いが、しばしば戦争の原因になったということである。

もう1つは「文化の広い普及と正義・自由・平和のための人類の教育とは、人間の尊厳に欠くことのできないものであり、かつすべての国民が相互の援助及び相互の関心の精神をもって果たさなければならない神聖な義務である」である。これは、国や地域によって考え方が違うことを理解し、それを教育によって広めていくことが大事であることを示している。

国と国との間でしばしば対立が生じるのは世の常である。こうした問題を目の当たりにして、しばしば話し合うことが大切であるという意味で「話せば分かる」という言葉が使われることがある。だが誤解を恐れずに言うならば、この言葉は半分はあたっていて、半分は間違っていると私は考える。というのも「話せば分かる」という言葉の中に、相手も自分と同じように考えているという前提があるとしたら、それは大きな間違いだからだ。

相手は、それぞれ自分たちの文化や歴史に基づいて物を考えている。それに対して、自分たちの物の考え方を、話せば分かると思って伝えても、それは相手の物の考え方と同じであるとは限らないし、結果として期待したものとは違う反応が返ってくるかもしれない。そうした時、自分はこれだけ誠意を持って正論で話しているのに、なぜ相手は理解できないのだ、というところから、しばしば誤解と不信が生まれている。これを避けるためには、そもそも相手は自分とは違う物の考え方をしているということを認め、さらには自分と相手は違う存在なのだと認識することが重要である。

自分とは違う相手を知るためには、相手の文化や歴史を知り、相手がどのように物を考えているのかを知ることが一番の近道だ。そうして相手の立場に立って物を考えることができれば、多くの対立を避けることができると、私は信じている。

そして、相手の文化や歴史を知る1つの手がかりこそが文化遺産である。なぜなら文化遺産には、その国や地域の文化や歴史が反映されているからだ。だからこそ、文化遺産を守ることは平和構築につながるのである。

3　国の復興と文化遺産の復興

文化遺産を守ることが平和構築につながるという考え方があるからこそ、国際社会は武力紛争によって疲弊した国々の復興を支援するとともに、その文化遺産の復興にも様々な協力を行ってきた。特にアフガニスタンとカンボジアにおいては、その文化遺産の復興が重視された。

幸いなことに、私はその両方の事例において自分自身が関わり、経験を得ることができた。そこで以下では、その経験について紹介することとしたい（石村　２０１３）。

アフガニスタンの事例

アフガニスタンでは１９７９年のソビエト連邦による侵略と、それに続く内戦により、長年にわたって武力紛争に苦しんできた。１９９０年代後半になるとターリバーンの勢力が台頭し、国土の大部分を実効支配した。イスラーム原理主義組織アルカーイダと手を結んだターリバーン政権は、極端なイスラーム原理主義を標榜し、２００１年３月に「非イスラーム的な偶像を破壊する」との題目のもと、バーミヤーン遺跡の大仏を爆破・破壊した。

同じ年の２００１年9月11日に発生したアメリカ同時多発テロ事件を受けて、アメリカを中心とした多国籍軍がターリバーン政権を攻撃し、これを一度は崩壊させた。同年12月にはアフガニスタン暫定行政機構が成立し、国際社会の支援を受けて国の復興が始まった。

長い内戦によって、アフガニスタン国内の文化遺産や博物館は大きな被害を受けた。首都カーブルに所在する国立博物館も、遺物がターリバーンによって意図的に破壊されたり、あるいは略奪されてブラックマーケットに売られたりして、壊滅的な打撃を受けていた。しかし国の復興が始まる中、博物館も国際社会の支援を受けて復旧が始まった。そうした中、博物館の入口に「歴史がなくならない限り国はなくならない」と書かれた横断幕が掲げられた。これはアフガニスタンの文化遺産関係者たちによる決意表明であるとともに、文化遺産が復興の原動力とも成り得ることを示している。

ターリバーンとアルカーイダによって破壊されたバーミヤーン遺跡の修復も、国際社会の支援を受けながら始められた。その主導的な役割を果たしたのが日本で、2003年よりユネスコ日本信託基金によってバーミヤーン遺跡の保存事業が開始された。その主な事業は、破壊された大仏の破片の回収や、石窟寺院に施された壁画の保存修復、さらには考古学遺跡の調査である。これらの事業は日本・ドイツ・イタリアの複数の機関が分担・協力して実施し、日本からは東京文化財研究所と奈良文化財研究所が主要な機関として事業に参加した。なお一連の事業はアフガニスタン考古学研究所と共同で進められ、いっしょに作業を行うことでアフガニスタン側への技術移転や能力強化も行われた。

私自身は、当時は奈良文化財研究所の職員であり、2006年と2007年の2回にわたって現地に行き、考古学遺跡の調査を担当した。

実際に現地に行く前は、正直なところアフガニスタンには怖い国という印象しかもっていなかった。テレビの報道などで流される、いかつい顔をしたターリバーンやアルカーイダのイメージが、アフガニスタンの人びとの印象であった。

ところが現地バーミヤーンに入ると、そうした印象はいともたやすくくつがえされた。その美しい自然と風景、そして傷付いてはいたが荘厳さを失わない遺跡の様子に、私は心を打たれた。

それにもまして、アフガニスタンの人びとの真摯さに心動かされた。いっしょに事業に参加するアフガニスタン考古学研究所のスタッフは若いメンバーが多かったが、みなこの国の文化遺産保護を担っていくという誇りと希望を抱いているようだった。

写真１　アフガニスタン・バーミヤーン遺跡の発掘

また、バーミヤーンの現地の人びとの様子も印象的だった。バーミヤーン地域の住民は少数民族のハザラ人が多く、彼らはターリバーン政権の下で迫害され、多くの人びとが殺されたり虐待されたりしたという。遺跡の発掘調査はこうした現地の住民を作業員として雇用して進められたので、多い時には50人ほどの作業員たちといっしょに発掘を行った（写真1）。私は彼らの話すダリー語（ペルシア語の方言）を話すことができなかったが、発掘に必要ないくつかの単語を覚えて、文字通り彼らといっしょに手を動かし、汗をかいて、休憩時間には時にお茶をともにしたのだ。驚いたことに彼らの飲むお茶は紅茶ではなく、日本人にはなじみのある緑茶だった。

２００８年から２０１０年にかけては、私はアフガニスタン人考古学者の日本での研修事業にも携わった。アフガニスタン考古学研究所の若手のスタッフを日本に呼んで、奈良文化財研究所が調査を行っている、平城宮跡や藤原宮跡といった遺跡の現場で発掘のトレーニングを行うのが主な研修内容だ。期間は２、３か月と比較的長く、この間に基本的な遺跡の発掘の方法や、遺構を測量したり、実測して記録をとる方法、さらには出土した遺物を実測したり分析したりする方法を実地で学ぶというものであった。

１回の研修で２、３名のアフガニスタン人考古学者を日本に呼び、奈良での研修はほぼ私が付き添ったが、なかなか苦労も多かった。１つは食事で、彼らは宗教上の理由で豚肉を食べることができず、またアルコールも飲むことができない。彼らはもっぱら自分たちで自炊して食事をまかなっていたが、最初のうちは食生活も満足ではなく、ぐったりした感じになってしまうこともしばしばあった。また、発掘現場での作業が終わり、疲れた、じゃあビールでも飲もうかというのが日本人の心情でありコミュニケーションの取り方でもあるのだが、そういうわけにもいかないのである。

また考古学に対する考え方の違いもあった。アフガニスタンでは考古学者は自分でつるはしなどの発掘道具を持たないようである。つるはしを持つのは作業員で、自分たちはそれを監督していればいい、というのが彼らの最初の考え方だった。私たち日本人は、考古学者自身がつるはしを持って、汗をかきながら発掘することが遺跡を一番よく知る方法だと思うわけだが、そのことを理解してもらうのが大変だった。しかし一緒になって発掘作業をやっていくうちに、彼らもそれが重要であることを理解していった。

いろいろ最初のうちは苦労があるものの、研修を進めるうちに、日本で学んだ技術を自分たちの国に帰って役立てるのだ、と彼らも生き生きした感じになっていくのが常であった。

こうして日本で研修を受けたアフガニスタン人考古学者は、国に帰ってからもアフガニスタンの考古学の最前線に立って活躍していった。アフガニスタンではバーミヤーンだけではなく各地で、復興に伴って様々な開発が行われ、多くの遺跡が危機に瀕していた。例えば、ロガール州のメス・アイナク遺跡（紀元1～7世紀のクシャン朝の仏教遺跡）では、銅鉱山の開発により遺跡の破壊の危機が迫り、アフガニスタン考古学研究所は緊急発掘を急ピッチで進める必要に迫られたが、この遺跡の調査にも、奈良で研修を受けた多くの若手考古学者が参加した。

このように、文化遺産を守るということは国の復興においてきわめて重要なことであり、そこに日本の国際協力が貢献できたことはとても良いことであった。しかし残念なことに、その後アフガニスタンではターリバーンの勢力が力を盛り返し、２０２１年8月にはターリバーン政権が復権してしまった。政権掌握後のターリバーン政権は、アフガニスタン考古学研究所のスタッフをはじめとする文化遺産関係者を、前政権の協力者とみなし、彼らへの迫害を始めた。私が研修で知り合った何人かの専門家も、命からがらアフガニスタン国外へ逃げ出したという知らせを聞いている。こうしたアフガニスタンの状況が改善し、文化遺産が守られるとともに、それに携わる人びとの安全が保障されるようになることを、心から願っている。

カンボジアの事例

カンボジアは1970年から長年にわたる内戦に苦しんできた。1991年に内戦が終結したが、国土は荒廃し、アンコール遺跡群をはじめとする様々な文化遺産も多大な被害を受けた。特に、1975年から3年間続いた悪名高いポルポト政権下では、200万人以上、国民の3人に1人が虐殺されたといわれている。特に、知識階級や都市に住んでいる人たちが粛清の対象になり、遺跡を守るべき考古学者や遺跡管理官の多くも、殺されるか、国外に逃亡を余儀なくされた。一説によると、カンボジア人の文化遺産関係者はポルポト政権以前には1000人ほどいたのが、ポルポト政権が終わった時点で3人しか残っていなかったという。

その長きにわたる内戦の終結にあたって、日本は大きなプレゼンスをもって主導し、その中でアンコール遺跡群をはじめとする文化遺産の保護も前面に打ち出された。まず1992年に東京において「アンコール遺跡救済国際会議」が開催され、国際社会が協力してこの遺跡の保護に取り組んでいくことが決められた。翌年にはアンコール遺跡群はユネスコ世界遺産に登録されるとともに、国際社会からも様々な国々がアンコール遺跡群の保存修復に関わるようになった。そこには日本、フランス、アメリカ、ドイツ、イタリア、スイス、インド、中国などが含まれ、それはあたかも「修復オリンピック」の様相を呈した。

日本からは、日本国政府によるアンコール遺跡救済チーム（JASA)、上智大学アンコール遺跡国際調査団、さらには奈良文化財研究所や東京文化財研究所といった複数のチームが保存修復の事業に参加し、それぞれ別々の遺跡を担当して活動を行っている。

写真2　カンボジア・西トップ遺跡の修復工事

私自身は奈良文化財研究所のスタッフとして、アンコール遺跡群の西トップ遺跡の保存修復に、2006年から2015年まで携わる経験をした。

西トップ遺跡は、アンコール遺跡群のアンコール・トムと呼ばれる都城遺跡のなかにある石造寺院の1つで、9世紀頃に建造され、その後いくたびかの改築を経て、16~17世紀頃まで存続したと推定されている。しかし遺跡を覆っていた樹木などの影響により、遺跡自体がかなり不安定な状態になっていることが明らかになったことから、石造の建物をいったんクレーンで解体し、基礎を強化した後、積み直すという解体修理を行うこととなった。

ただしこの遺跡は貴重な文化遺産である以上、積み直すにしても元あった石は同じ場所に戻さなければならない。中には割れて使い物にならない石があったり、強度が不足したりするものもある。しかし、コンクリートや鉄筋など新しい素材を使用するのではなく、できるだけオリジナルの石材と工法にしたがって行う必要がある。例えば、石が割れていたらそれを捨てるのではなく、何とかくっつけて使うことが求められる。

そこで、いきなり解体修理を始めるのではなく、事前に遺跡の現状をできるだけ正確に記録する必要があった。極端な話、建物を構成している石の一個一個をすべて記録していったのである。

奈良文化財研究所の考古学、建築学、保存科学のエキスパートが協力しながら、解体前の遺跡の状態を記録・評価するための必要なデータを収集するのにおよそ3年がかかった。

それを受けて、本格的な修復が２０１２年3月から開始された。石を一個一個丁寧に解体していき、その形状、位置を台帳に記録するという気の遠くなる作業だ。

この作業は現地チームの主導によって行われている。現地駐在の奈良文化財研究所の日本人スタッフ1名とカンボジア人スタッフ3名が常駐し、それに加えてカンボジア人施工管理者1名、カンボジア人クレーン運転手1名、カンボジア人石工5名、作業員数名と、20名ほどのメンバーによって構成されている。これに加えて、奈良文化財研究所の考古学、建築学、保存科学などの専門のスタッフが交代で短期間、現地に滞在して事業にあたっている。２０２０年からしばらくはコロナ禍のため、日本人スタッフが現地に滞在できない時期もあったが、その間も日本からの指示のもとカンボジア人スタッフらが事業を進めた。そしてようやく（２０２４年1月現在）、10年以上にわたって続けられた西トップ遺跡の修復事業もいよいよ最終局面を迎えようとしている。

西トップ遺跡の修復事業において注目すべき点は、カンボジア人主体のチームであるということだ。奈良文化財研究所は実施主体である一方、この修復事業そのものがカンボジア人専門家への技術移転・能力強化の機会を提供しているということもまた重要である。すなわちカンボジア人自身の手によって将来的・持続的にカンボジアの文化遺産を守っていくことができるようにするという人材育成の面があるのだ。

内戦が終結して30年以上が過ぎ、今となってはアンコール遺跡群をはじめとするカンボジアの文化遺産の保存修復事業の場においても、かつて「修復オリンピック」と呼ばれた時代に比べると、外国チームの関与の割合は相対的に小さなものとなった。それに代わって、カンボジア人の専門家たちが果たす役割ははるかに大きなものとなった。そうした意味において、カンボジアは国の復興を果たすとともに、文化遺産の復興も見事に達成することができたということができるのである。

4　スーダンにおける文化遺産の復興に向けて

国の復興とともに文化遺産の復興を進めることは、長年にわたって内戦や政治的混乱を経てきたスーダンにおいても重要である。

そもそも私がスーダンの文化遺産に関わるようになったのは、2022年に日本学術振興会による科学研究費事業「ポストコンフリクト国における文化遺産保護と平和構築」が採択され、国立文化財機構東京文化財研究所とスーダンの国立民族学博物館の間でリビングヘリテージを中心とした文化遺産の共同研究を進めることになったことに始まる。私自身はこれまで、アフガニスタンやカンボジアをはじめとするアジア太平洋地域における文化遺産保護の国際協力に長年にわたって携わってきたが、アフリカは初めてのフィールドであった。

幸いなことに、本事業では国内で頼もしいパートナーを得ることができた。1人は建築史の専門家で、エチオピアの建造物の調査を長年にわたって行ってきた清水信宏氏（北海学園大学）である。そしてもう1人は、本書の編著者であり、長年にわたってスーダンで考古学の調査を行ってきた関広尚世氏である。

本事業のテーマを「ポストコンフリクト（紛争後）」としたのは、スーダンのたどってきた苦難の歴史を踏まえてのことであった。

スーダンでは長年にわたって、内戦やその後の政治的状況の混乱に見舞われてきた。そうした中、2019年に30年間続いた独裁政権が崩壊して暫定的な民主国家が樹立され（スーダン革命）、それ以降、国の復興が進められてきた。そうした中で、民族の和解と文化の多様性の重要性が強調されるようになっていた。

もともとスーダンは多民族国家である。一般的にはイスラームを信仰するアラブ人（アラブ系スーダン人）の印象が強いが、北部ヌビアのヌビア人、中部コルドファンのヌバ人など数多くの民族がおり、その数は570を数えるといわれる。宗教的にもイスラーム教、キリスト教（コプト教徒を含む）、アニミズム等の伝統宗教など多様であり、その社会も定住的な農耕民から遊動的な牧畜民まで幅広い。独裁政権下では多くの少数民族が弾圧されてきたが、2019年のスーダン革命以降、民族の多様性を尊重することが平和構築につながるという考え方が推し進められてきた。

私たちの事業に「ポストコンフリクト国における文化遺産保護と平和構築」というタイトルを付けたのは、そうしたスーダンの復興の機運に沿うためであった。すなわち、文化遺産を文化の多様性の表現の1つとみなし、それを保護することによって多様性を肯定し、そのことによって平和構築を行っていきたいという思いをここに込めたのである。そしてカウンターパートである国立民族学博物館と協働するにあたって、特にリビングヘリテージに注目することとした。リビングヘリテージは生きている遺産とも訳されるが、そこにはいわゆる無形文化遺産の他に、人びとの生活と密接につながって有機的に進化していく文化的景観、さらには地域の人びとが主体となって遺跡や博物館を守っていくという取り組みそのものも含まれると私たちは考えている。

ポストコンフリクトからインコンフリクトへ

しかし2023年4月の武力衝突によって、スーダンの状況はポストコンフリクトからインコンフリクトへと一気に転換した。つまり私たちの事業の前提となるテーマが入れ替わってしまったのだ。そして私たちが現地に行くことも、また現地から文化遺産の専門家を招へいすることも、当面は難しい状況となってしまった。

この時点で私たちは事業を中止することも考えた。しかし検討の結果、私たちは事業を継続すると決断した。その大きな理由は、これまで信頼関係を築いてきた現地のカウンターパートたちを見捨てるわけにはいかないという思いであった。スーダンの国外から私たちができることには限りがあるだろう。それでも彼らの心が折れないように、私たちも彼らに寄り添い続けるというメッセージを発信し続けることは大切だと考えたからだ。その上で、インコンフリクトすなわち武力紛争下における文化遺産の保護は、国際的にも重要性の高いテーマであると考えたのである。

スーダン人文化遺産関係者による迅速な取り組み

そうした中で、むしろ私たちはスーダン人文化遺産関係者による迅速な取り組みに驚かされた。彼らは武力紛争下という困難な状況にもかかわらず、文化遺産の保護のための活動をあっという間に開始したのである。

まず２０２３年6月3日から3日間にわたって、主にエジプトのカイロに退避した国立古物博物館機構（ＮＣＡＭ）のスタッフら文化遺産関係者を中心として、イタリア・ローマの国際機関である文化財保存修復研究国際センター（ＩＣＣＲＯＭ）の協力により、対面とオンラインによる緊急ワークショップ・フォーラムが開催された。さらに7月6日には第2回フォーラムが5日間にわたって開催された。私たちもスーダン人文化遺産関係者の要請を受けて、これらの会議の一部にオンラインで参加した。一連のフォーラムでは、スーダン各地の博物館や遺跡等の現状が報告され、それぞれの復興に必要な措置や資金等の一覧が示された上で、国際社会に向けてその支援が訴えられた。

こうしたことが可能になったのは、インターネットによるコミュニケーションの発達によるところが大きいであろう。特にコロナ禍以降にオンライン会議システムが普及し、こうした国際的な会議を開催しやすくなった。ただしスーダン国内はインフラが脆弱《ぜいじゃく》なものとなってしまったため、こうしたオンライン会議システムはおろか通常のメールでやりとりすることも困難になっ

写真３　ゲジーラ博物館における、地域コミュニティと協働した壁画制作
［アマニ館長提供］

たが、比較的つながりやすいとされるＳＮＳを用いることで、スーダン国内にいる関係者同士、そして国外にいる関係者間でも、すみやかな情報収集と共有を行うことができるようになった。

彼らは私たちのカウンターパートである国立民族学博物館のアマニ館長も、スーダン国内では比較的安全とされるワド・メダニ（Wad Madani）にあるゲジーラ博物館（Gazeira Museum）を拠点に活動を開始し、地域コミュニティと協働して平和を祈る壁画を制作する活動などを行っている。

国際的な発信にも力を注いでいる。２０２３年12月４日から8日にボツワナのカサネで開催されたユネスコ無形文化遺産保護条約の第18回政府間委員会では、スーダンから提案された案件「スーダンにおける預言者ムハンマドの誕生日の行進と祝祭（Procession and celebrations of Prophet Mohammed's birthday in Sudan）」と「金・銀・銅の彫金に関連した芸術・技術・実践（Arts, skills and practices associated with engraving on metal (gold, silver and copper))」（アルジェリア、サウジアラビア、エジプト、イラク、モロッコ、モーリタニア、パレスチナ、チュニジア、イエメンとの多国籍提案）が代表一覧表に記載された。政府間委員会にはスーダン代表団の姿はなかったが、本国が困難な状況にある中においてこれらの一覧表記載は快挙である。

スーダン文化遺産保護への国際的な支援

こうしたスーダン人文化遺産関係者の取り組みに対し、国際的な専門家たちも様々な形で支援を行っている。その中心的な存在は、ブリティッシュ・カウンシル文化保護基金によって活動を行っている「スーダン・リビングヘリテージ保護プロジェクト（Safeguarding Sudan's Living Heritage, 略称ＳＳＬＨ）」である。

このプロジェクトは、大英博物館のスーダン部門担当の学芸員でありスーダンの文化遺産研究の大家であるジュリー・アンダーソン（Julie Anderson）氏と、長年にわたってスーダン各地の博物館の設計・マネジメントを手掛けてきたマリンソン・アーキテクツ・アンド・エンジニアズのマイケル・マリンソン（Michael Mallinson）氏、ヘレン・マリンソン（Helen Mallinson）氏を中心に進められている事業で、もともと武力紛争と気候変動の影響からリビングヘリテージを保護するための国際協力事業として２０１８年から開始された。そして２０２３年４月の武力衝突を受けて、この事業も武力紛争下における文化遺産保護に重心を移して活動を継続している。

写真４　ジュリー・アンダーソン氏、マイケル・マリンソン氏、ヘレン・マリンソン氏と面会する著者ら［関広尚世氏撮影］

このプロジェクトも、スーダン国内で直接的な支援活動を行うことができないため、スーダン人文化遺産関係者のネットワークを通じて様々な支援を行っている。例えばスーダンの文化遺産保護に関連したオンライン・ワークショップを開催したり、またスーダン国内に残っている専門家の活動に対して資金を供出したりすることで、間接的および直接的に支援を行っている。このプロジェクトを率いるマイケル・マリンソン氏によると、スーダン人文化遺産関係者のほとんどが、国からの給与の支給を受けることもなく、現在は彼ら自身の手弁当によって活動を行っているのだという。また博物館や遺跡を管理するために雇用されていた管理人や警備員も、国からの給与を受けることができないでいるという。このプロジェクトではそうした人びとを経済的に支えるためにも、様々な形によって彼らの活動に支援を行っているという。

私たちも２０２３年８月にイギリスを訪問し、ジュリー・アンダーソン氏、マイケル・マリンソン氏、ヘレン・マリンソン氏と面会して意見交換を行い、彼らと協力してスーダンへの国際協力を行うことを約束した。そして同年12月には、私たちの事業の拠点機関である国立文化財機構東京文化財研究所とスーダン・リビングヘリテージ保護プロジェクト（ＳＳＬＨ）との間で覚書（ＭｏＵ）を締結し、私たちも公式に国際的な支援のパートナーシップに加わることとなった。

私たちの取り組み

こうした状況を受けて、私たちもスーダンの文化遺産保護のための国際的な協力を始めている。２０２３年9月10日から13日にかけて、エジプト・カイロの子ども博物館（Child Museum）でユネスコとスーダン・リビングヘリテージ保護プロジェクト（ＳＳＬＨ）の共催による会議「緊急事態下にあるスーダンのリビングヘリテージ保護のための専門家会議」が開催された。私たちもこれに参加し、国際的な専門家およびカイロに避難してきたスーダン人文化遺産関係者と議論を行った。

またこれに合わせて、カイロに臨時オフィスを置いている在スーダン日本国大使館において、エジプトに退避している国立古物博物館機構（ＮＣＡＭ）局長のイブラヒム・ムーサ（Ibrahim Musa）氏をはじめとする文化遺産関係者9名と、駐スーダン特命全権大使・ＪＩＣＡスーダン事務所長をはじめとする大使館・ＪＩＣＡのスタッフを交えた会談を行い、情報交換を行うとともに、日本からの文化遺産保護の国際協力の可能性について協議した。

スーダンの治安状況を受け、現在は在スーダン日本国大使館もＪＩＣＡスーダン事務所もカイロに退避を余儀なくされており、日本の政府機関であってもスーダンに対する直接的な支援事業を行うことは困難である。また仮に治安状況が改善し、現地での活動が可能となっても、当面はインフラ再建や医療、教育など、人道的支援が優先されることになるので、文化遺産への支援にたどり着くまでの道のりは長いと想定される。

しかし私たちは、むしろ文化遺産への支援こそが平和構築の礎《いしずえ》となるという考え方を強く主張したい。そのため私たちは、大使館およびＪＩＣＡのスタッフたちと連絡を取り合いながら、引き続きスーダンの文化遺産保護につながる支援を模索していくこととしたい。

5　おわりに

最後に、文化遺産が平和構築のカギであるという考え方をさらに進め、文化遺産が国や地域の復興の原動力にも成り得ることについても主張したい。

文化遺産はしばしばその国や地域の人びとの誇りやアイデンティティの拠りどころとなっている。武力紛争や自然災害によって人びとが苦境におちいったとき、文化遺産が人びとの絆となることもあるのだ。そうした事例として、東日本大震災の時の女川町《おながわ》の事例をひとつ紹介したい（石村　２０２０）。

宮城県牡鹿郡女川町は、東日本大震災の津波によって市街地が壊滅的な被害を受けた。津波から逃げ延びた人びとは、住む家を失ってしまったために避難生活を余儀なくされた。女川町のうち竹浦地区という集落では、住民はまとまって秋田県のホテルに避難することとなった。避難生活は長期にわたり、住民たちは疲労が重なった。そうした中、何人かの人たちが、避難所にあった座布団やスリッパを用いて獅子頭を作り、地域の民俗芸能である「獅子振《ししぶ》り」を舞ってみた。するとそれを見た他の住民たちも喜び、それによって落ち込みがちであった心が勇気付けられたという。

その後避難先から戻った住民は、引き続き仮設住宅での生活を余儀なくされた。仮設住宅では、必ずしも隣近所の人たちがまとまって近くの住宅に割り当てられるとは限らず、時には同じ地区であっても別々に離れた住宅に割り振られることもあったという。そのため、住民同士のコミュニケーションが損なわれつつあった。

しかし春祈祷や祭礼といった機会には、別々の仮設住宅に分かれてしまった地区の住民たちがかつての集落の跡地に集まって、民俗芸能の「獅子振り」が舞われた。こうしたことは住民の絆を再確認するきっかけとなったのだ。

こうした「獅子振り」のような民俗芸能、あるいは地域の祭礼といったものは、無形文化遺産あるいはリビングヘリテージに含まれるものである。そしてこうした文化遺産は、人びとの生活と密接に結びついている。そのため、人びとの絆となり、人びとが復興に向かう原動力となる可能性を持っているのである。

インコンフリクトおよびポストコンフリクトのスーダンにおいても、文化遺産が復興の原動力に成り得る可能性はある。インコンフリクトの状況にあっても、アマニ館長がゲジーラ博物館を拠点に、地域コミュニティと協働して平和を祈る壁画を制作する活動などを行っていることなどは、まさに文化遺産を復興の原動力として活用しようという試みの1つと言うことができるだろう。

スーダンは予断を許さない状況が続いている。しかし私たちは、文化遺産が持つ平和構築の力を信じて、スーダンへの支援を続けていきたいと考えている。

＊　参考文献

石村智　２０１３「海外の遺跡をまもる――国際協力としての文化遺産保護」奈良文化財研究所編『遺跡をさぐり、しらべ、いかす――奈文研六〇年の軌跡と展望』１２７〜１４８頁、奈良文化財研究所。
石村智　２０２０「無形文化遺産の防災――これまでの東京文化財研究所の取り組みとその位置づけ」『無形文化遺産研究

報告』第14号、１７９～１９０頁。

石村智・関広尚世・清水信宏　２０２４「スーダンでの軍事衝突から武力紛争下における文化遺産の保護を考える」『考古学研究』第71巻第１号、６～10頁。

おわりに

様々な来歴と領域で活動する執筆者が語るスーダンの過去、現在、未来像は、読者の目にどのように映っただろうか？

「はじめに」でも述べたように、本書は特定分野の専門書や即時性の高い文章を目指してはいない。そのかわりに普段は書きづらい各執筆者のスーダンへの想いをできるだけ盛り込んだ。なぜなら、執筆者自身もスーダン革命と政変、そして軍事衝突という激動のスーダン史の目撃者であり、そのとき外国人関係者として、何を目撃し、何を感じ、スーダン人関係者と何を話したかを後世に伝える必要もあると考えたからである。変革時の鮮明な体験と感覚をできるだけそのまま、1冊の本に閉じ込めようとしたのが本書である。近年では、インターネットやオンラインで様々な情報が瞬時に共有されるようになり便利になった。しかし、こうした即時性の高い情報だけでなく10年20年後も視野に入れた情報共有の有効性も決して無視はできない。

本書の記述で、各執筆者が革命から2023年4月の軍事衝突まで現地に滞在し、時間や空間を共有しながらスーダンと関わってきたことがお分かりいただけたかと思う。そして、関与する領域は異なっても、スーダンの未来を想う気持ちは共通しているということを伝えることができたのではないだろうか。

紛争終結まで、そしてその先も、スーダンがいかに多角的な援助を必要としているかを示すことも本書の目的の1つであるが、その援助を行う邦人関係者間の相互理解を深めあうことも目的の1つである。専門や活動領域は全く異なるのに、スーダンという共通項を通して生まれる不思議な連帯も、執筆者の1人である金森が第6章で述べた「エモさ」と呼べるかもしれない。しかもこの「エモさ」はさらに独特の焦燥感を生じさせ、ほぼすべてのスーダン関係者をスーダンへの先入観を解くことや、スーダンの良さを広めるという行為へと導いていく。誰に促されたということもなく、気づけばそうしているのである。そういう状態にあるスーダン関係者を、他のスーダン関係者が自身の体験になぞらえながら見守っているという連鎖も少なからず存在する。

今一度、この「エモさ」に端を発するスーダン叙述を振り返っておきたい。まず、本書第I部では、スーダンの歴史的・文化的背景に焦点を当てた。

関広尚世は2007年から主として文化財の保護と活用に関わり、ほぼ毎年スーダンを訪れている。章内では述べていないが、スーダン革命の発端となったパンの値上がりへの抗議デモ時には、スーダン国立博物館に併設するNCAMの一室で資料調査をしていた。関広は、スーダン革命時の文化財担当者による抗議行動、NCAM局長であり研究者でもあるスーダン人研究者が記したユネスコブックレットを例に、文化財はスーダンのアイデンティティの回復と確立、そして多民族国家での民主化実現に必要な相互理解や俯瞰力の養成に不可欠な要素と説いた。また、スーダンの「過去」に関する記述には、人種差別もからむ、静かだが深刻な問題があるとした。そしてスーダン文化財の重要性は、紛争下にあろうとテロ支援国家に指定されていようと変わらない普遍的なものであり、紛争下にある現在はそれらを護ろうとする文化財担当者も保護されなくてはならないとした。

石村智は、第7章でも述べるようにポストコンフリクト国における文化遺産保護と平和構築の研究対象としてスーダンを選んだ。これまでアフガニスタンやカンボジアをはじめとするアジア太平洋地域における文化遺産保護の国際協力に長年にわたって携わってきた経験を生かし、多民族国家であるスーダンの文化遺産をその未来のために活用しようという試みである。本書では主要な民族に関する叙述にとどまったが、その多様性が対話や平和構築を生み出すために、多様性（diversity）と包括（inclusion）を合わせた「D&I」の考え方が参考になるという。この「D&I」が国づくりに活かされれば、スーダンは多民族であることを強みにできるだろう。

第Ⅱ部では革命以降のスーダンの政治的、軍事的背景に焦点を当てた。

坂根宏治がスーダンに駐在したのは2021年2月から2023年4月。スーダンを歴史的に他民族に寛容な文化を継承してきた場所と評し、自らも長くこの国に住みたいと思ったと綴る。

坂根は、イギリス・エジプトの共同統治体制からの独立からバシール政権誕生まで、バシール政権時代、民主化移行政権、2021年クーデターの発生から軍事衝突まで、そして軍事衝突の発生から現在までの近代史から、アフリカ随一の穀倉地帯であり資源も豊かなスーダンが、クーデターと軍事政権にいかに翻弄されてきたかを概観した。坂根自身が民主化移行政権から軍事衝突までの歴史の目撃者であることが、その叙述により一層のリアリティをもたせている。スーダン本来の多様な人びとを包含する豊かな社会のため、再び、多様な人びとを受け入れ、すべての人びとが開発の利益を享受する社会を再構築することが、スーダンの未来と発展のために必要だという坂根の主張に異論はないだろう。

堀潤がスーダンを訪れたのは2019年12月。日本国際ボランティアセンターのカドグリ事業と首都ハルツームでの取材のためだった。しかし、渡航前も滞在中も日本大使館から安否確認の電話が定期的に入ったという。堀は、バス移動時の同乗者との交流や村人への取材でスーダンへの印象が好転し、これから混沌、混乱から発展、創造に向かうと確信したという。ハルツームでは、「私たちはこの国を自分たちで作る責任さえ負えなかった」という知性と意欲に満ちた10代女性の返答に胸がいっぱいになったという。堀潤は軍事衝突時に坂根と今中に電話とｚｏｏｍで取材をし、日本に具体的な現地情報を初めて伝えたジャーナリストである。そしてそれは、革命期のスーダンを実見したジャーナリストによる唯一の報道であった。その緊迫したやり取りが本書にも掲載されているが、この報道により、日本国内の報道がＲＳＦによる喧伝活動に翻弄されずに済んだと言っても過言ではない。

第Ⅲ部では革命勃発以降のスーダン文化と、未来への展望を取り上げた。

今中航は日本国際ボランティアセンターのスーダン事務所代表として、革命期からスーダンに駐在し、軍事衝突後も拠点を移し活動している。本書では駐在時の体験とバシール政権崩壊により表現の自由を得た市民が生み出した壁アートに焦点を当てた。革命時は自宅前でタイヤを燃やし、チャントを唱えたスーダン人たちを目撃し、その後は様々な抗議メッセージが込められた壁アートが瞬く間に増えていく様子を目撃した。「自由・平和・正義」を主張する内容、教育の重要性を訴えるもの、多様性と差別撤廃への要求、殉教者の肖像がそれらの主たるテーマである。また、アートの色味にも着目し、１９５６年独立後に用いられた国旗の青・黄・緑を意図的に採用したものや、スーダンの歴史や遺産に焦点を当てた事例も紹介した。今中は本来、イエメンの愛好家でもあることからアートの政治的背景であるスーダンと近隣国との国際関係に関する叙述がより明快なものとなっている。革命時に言葉にはできないメッセージを伝え続けたアーティストたちは今、現在はそれすらできない厳しい状況にあり、今中自身も親交のあった消息不明のアーティストの身を案じる日々を綴った。

金森謙輔は２０１３年から2年間青年海外協力隊員として滞在し、任期終了後もスーダン人の利他的行動に関する研究のため、研究者として何度も再訪した。10年以上にわたるスーダン人との交流を通して良い面も悪い面も知り尽くし、そして自身もスーダン人化した面があるという。軍事衝突直前2022年9月から2023年3月までスーダンに滞在し、その時の研究対象は、革命以降カンダカと呼ばれた女性の活躍と象徴化であった。ハルツームでの生活で金森はスーダンに「エモさ」を感じ、それにはよいことも面倒なこともあって、スーダンの人間関係は複雑怪奇だとするが、いずれにしてもその叙述そのものに一種の愛着を感じずにはいられない。現地で行ったインタビューの内容にはスーダン革命時のリアルな市民の姿が描き出されており、平和的な抗議活動を死守した市民の存在を今後も伝え続けるだろう。

石村智は、2023年4月に軍事衝突が勃発した時、ちょうどスーダンの国立民族学博物館館長と副館長を日本へ招聘《しょうへい》する準備を整えていた。所属先の国立文化財機構東京文化財研究所と同博との研究協力締結を行い、スーダンのリビングヘリテージに関する研究交流を行っていくためである。先にも述べたようにこの研究は本来、ポストコンフリクト国であり、多民族国家であるスーダンの復興を促進する目的で計画されたものであった。瞬時にインコンフリクトとなり、研究事業そのものの中止も危ぶまれたが、継続を選択したという点が挑戦的である。武力紛争下における文化遺産の保護は、日本国内では前例が少ないが国際的にも重要性の高いテーマであり、スーダン人研究者の対応にこちらが学ぶことも多い。そして、大英博物館や英国の老舗《しにせ》文化遺産コンサルタントとの新たな協働から、文化遺産が持つ平和構築の力を確信しつつ紛争後の復興や文化遺産保護を現在も模索している。

上述の通り、異なる来歴や活動領域を持つ6人の執筆者だが、それぞれに「エモさ」と一種の焦燥感を持ちながら現地人との協働を続けようとしている。もちろん本書の執筆者だけが特別なのではない。私たち以上に現状を心配する他のスーダン関係者もおられるのである。許されるなら、一人ひとりにその想いを表現してもらいたいと思うくらいである。

そして、スーダン関係者のこの傾向は、渡航歴や滞在期間とは比例しないことにも注目してもらいたい。これはスーダンが、たった一度、短期間の訪問でも人を深く引き付けて離さないという場所だということである。

スーダンのこの魅力はきっとこれからも衰えることはない。2024年3月現在、まだ紛争終結にはいたっておらず、各分野での様々な支援が長期化、大規模化することを覚悟しなくてはならない。しかし、スーダンのこの魅力が、スーダン人と援助や復興に従事する人を護り続けることを願い、私たちはそれぞれの現場に戻ることにする。

最後になりましたが、この挑戦的な企画を引き受けてくださった明石書店の富澤晃さんに感謝します。

2024年6月　　執筆者一同

〈**執 筆 者**〉（50 音順 ＊編者）

＊石村　智：国立文化財機構 東京文化財研究所 無形文化遺産部部長

今中　航：特定非営利活動法人日本国際ボランティアセンター（JVC）　スーダン事務所現地代表

金森謙輔：京都大学アジア・アフリカ地域研究研究科博士課程

坂根宏治：日本国際平和構築協会理事、国際協力機構（JICA）東ティモール援助調整アドバイザー、元 JICA スーダン事務所所長

＊関広尚世：京都市埋蔵文化財研究所 調査研究技師

堀　潤：8bitNews 代表、テレビ番組モーニングフラッグ（TokyoMX）司会

〈**カバーイラスト**〉

イブラヒム・サイード（Ibrahim Sayed）：スーダン人アニメーター／イラストレーター

スーダンの未来を想う――革命と政変と軍事衝突の目撃者たち

2024年7月15日　初版第1刷発行

編著者　関広尚世
石村　智

発行者　大江道雅

発行所　株式会社　明石書店

〒101-0021　東京都千代田区外神田6-9-5
電　話　03 (5818) 1171
F A X　03 (5818) 1174
振　替　00100-7-24505
https://www.akashi.co.jp/

組版／装丁　明石書店デザイン室
カバーイラスト　イブラヒム・サイード
印刷　株式会社文化カラー印刷
製本　協栄製本株式会社

（定価はカバーに表示してあります）　ISBN 978-4-7503-5811-6

難民
行き詰まる国際難民制度を超えて

アレクサンダー・ベッツ、ポール・コリアー［著］
滝澤三郎［監修］
岡部みどり、佐藤安信、杉木明子、山田満［監訳］
金井健司、佐々木日奈子、須藤春樹、春聡子、
古川麗、松井春樹、松本昂之、宮下大夢、山本剛［訳］

◎四六判／並製／336頁　◎3,000円

90%の難民の留まる周辺国で、難民に就労機会と教育を提供することで難民の自立を推進することを提唱する。難民の自助努力を支援するアプローチ、受け入れ社会への貢献、さらには出身国の再建を可能にするオルタナティブなビジョンを専門家が提示した重要な１冊。

《内容構成》

日本語版への序文
監修者まえがき
この本を書いたきっかけ
イントロダクション
第I部　なぜ危機は起こるのか
第1章　世界的な混沌
第2章　難民制度の変遷
第3章　大混乱
第II部　再考
第4章　倫理を再考する
——救済の義務
第5章　避難所を再考する
——すべての人に手を差し伸べる
第6章　難民支援を再考する
——自立を回復するために
第7章　紛争後を再考する
——復興の促進
第8章　ガバナンスを再考する
——機能する制度とは
第III部　歴史を変える
第9章　未来への回帰

〈価格は本体価格です〉